NA CONNERYS

Liam ó Murchú

Na Connerys

dráma trí ghníomh

Sáirséal agus Dill
Baile Átha Cliath

An Chéad Chló 1974

ISBN 0 902563 42 4

NA CONNERYS

A Chuimín mhallaithe, guímse deacair ort
   agus gráin Mhic Dé,
Is ar an ngasra úd atá ceangailte go dlúth
   led thaobh.
Is tú do dhearbhaigh le linn na Leabhartha
   dá dtabhairt sa mbréag,
A sheol na Connerys thar na farraigí go
   dtí's na New South Wales.

Té bheadh ina sheasamh ann 's a dhéanfadh
   machnamh ar ár gcúis dá plé,
Ó do sheasaimh sí óna seacht ar maidin go
   dtí tar éis a naoi.
Do chrith an talamh fúinn le linn na
   Leabhartha dá dtabhairt sa mbréag
Mo ghreidhn an t-anam bocht atá sé
   damanta más fíor don chléir.

Tá seaicéid ghairid dhá ndéan' ó mhaidin
   dhúinn agus triús dá réir,
Culaithe farraige, ní nár chleachtamar, i
   dtús ár saoil,

NA CONNERYS

Murach feabhas ár gcarad dúinn bhí ár
   muiníl cnagaithe go domhain san aol
Nó gur casadh sinn chun téarma
   chaitheamh ins na New South Wales.

A bhanríon bheannaithe is a rí na bhflaith-
   eas geal, tabhair fuascailt orainn araon,
Is ar an mbanartla atá sa mbaile go
   dubhach 'nár ndéidh
Le linn an Aifrinn bígí ag agallamh is ag
   guí chun Dé,
Ar na Connerys a thabhairt abhaile
   chugainn ós na New South Wales.

NA CONAIRÍGH

IMBOTH an Dúin a bhí na Conairígh; Seán agus Séamas. Sa drochshaol, nó timpeall na haimsire sin a bhíodar ann. Bhí feirm bheag acu, agus tá rian na háite agus an tí ina rabhadar le feiscint fós ar thaobh an bhóthair. Holmes a bhí ar an tiarna talún a bhí ar an áit sin le linn na gConairíoch. Tháinig maor ar an stát arbh ainm dó an Caedach, agus níor thaithnigh sé féin is na Conairígh lena chéile. Daoine anspianta ba ea na Conairígh. An té a thaithneodh leo, dhéanfaidís aon rud dó; ach an té ná taithneodh leo, níor mhór dó a bheith ar a aire féin. Dhein an Caedach gearánta go leor orthu, agus bhí sé ar a dhícheall a d'iarraidh iad a dhíbirt as an áit. Bhí fhios ag na Conairígh é sin, agus bhíodar ag faire ar an gCaedach chun é a chur dá chois. Bhí feirmeoir eile in mBoth an Dúin, gairid do thigh Chonaire; Éamon Paor a bhí air, agus bhí sé muinteartha leis an gCaedach.

Bhí an Paorach ag treabhadh lá, le hais na coille, i mBoth an Dúin, agus bhí an Caedach

ag siúl síos is suas leis. Tháinig beirt bhan
isteach sa pháirc gan fhios dóibh. Shleamhn-
aíodar amach le hais na gcapall, agus
lámhadar leis an gCaedach. Níor bhuaileadar
é, agus rith sé. Dhein sé ar thigh an Phaor-
aigh a bhí taobh thuas de, mar bhí arm tine
ann; ach chuadar idir é agus an tigh, agus
b'éigean dó iompú ar an gcoill. Nuair a
chuaigh sé in airde ar chlaí na coille, rugadar
air agus sracadar anuas é. Chuireadar a
cheann tríd an talamh le ceapa na ngunnaí.
Chuireadar díobh amach an sliabh, agus
shóinseáladar a gcuid éadaí. Bhí fhios gurbh
iad a thug fén gCaedach, agus bhí an tóir i
bhfad níba dhéine orthu ina dhiaidh san.
Shíleadar go raibh sé marbh acu; ach tháinig
sé chuige féin arís. Tháinig scata píléirí chun
iad a chur as seilbh; ach bhí an tigh daingn-
ithe suas acu, agus arm tine istigh acu, agus
chuireadar an ruaig ar na píléirí. Tháinig an
tiarna féin, Holmes, lá, is gan aoinne ina
fhochair. Aníos an bóithrín ar thaobh thiar
den tigh a tháinig sé, agus chonaic Séamas
Chonaire ag teacht é. Labhair sé go deas
séimhialta, agus d'iarr sé seilbh na háite ar
Chonaire. 'Scrios leat, a thurnae bhig, nó
cuirfidh mé an lán atá sa ngunna tríot!' ar

seisean. Dúirt Holmes go gcaillfeadh sé giní
an troigh le hiad a chur as an áit. Tamall beag
ina dhiaidh sin, bhí Séamas ina sheasamh san
áit chéanna, agus cad a chífeadh sé ná beirt
phíléirí ag teacht aníos an bóithrín chun an
tí, agus gunnaí acu. Bhí lochta as an seomra,
ach ní raibh aon staighre ag dul in airde ar an
lochta. Sheas Séamas siar uaidh, is chuaigh
den léim sin in airde ar an lochta. Chuaigh sé
de léim eile amach fuinneog an lochta, trasna
bóithrín a bhí ann, agus suas leis go tigh
muinteartha mar a raibh Seán i bhfolach.
Thug an bheirt acu an Máma amach orthu, is
ní rabhadar ach ar éigean imithe as an tigh
nuair a tháinig na píléirí ar a dtóir. Ach cé go
raibh cairde go leor acu, bhí namhaid acu
leis. Dhíol duine éigin iad sa tslí gur rugadh
orthu, agus gur cuireadh isteach i bpríosún
Phort Láirge iad, ach d'éalaíodar as an
bpríosún. Stróiceadar na plaincéid is na
bairlíní, agus dheineadar téad díobh.
Shleamhnaíodar go dtí an talamh ar an téad
agus fuaireadar dul amach thar an bhfalla.
Thángadar go Both an Dúin arís agus
b'fhada ina dhiaidh sin go bhfuaireadh breith
orthu.

Maidin Domhnaigh a bhí ann, is na daoine

ag dul go dtí Aifreann Choilligeáin. Bhí na
Conairígh thíos sa ngleann nuair a tháinig an
tóir orthu. Ritheadar, agus lean na píléirí iad;
agus bhí an Caedach ina bhfochair. Ba mhire
fé dhó na Conairígh ná aoinne bhí ina
ndiaidh; ach pé rud a bhain do Sheán
Chonaire, thit an lug ar an lag aige, agus níor
fhan coiscéim aige. An Caedach an chéad
duine a tháinig suas leis is a rug air. Nuair
chonaic Séamas go raibh beirthe ar Sheán
thug sé suas. Triaileadh i bPort Láirge iad
mar gheall ar seilbh fórsa a choimeád, agus
cuireadh amach go dtí sna New South Wales
iad, mar ar chaitheadar an chuid eile dhá
saol. Bhí fear ó pharóiste Chill Ghobnait
amuigh san áit úd i bhfad de bhlianta ina
dhiaidh sin, agus chuir sé tuairisc na
gConairíoch. Fuair sé amach an áit a rabh-
adar ina gcónaí. Bhí réim mhór talún acu agus
iad ana-shaibhir ar fad. Bhí Seán pósta is clann
aige, ach níor phós Séamas riamh.

as 'Seanchas Sliabh gCua' le
Pádraig ó Milléadha

Béaloideas Nollaig 1936

NA PEARSANA

Scéalaí, 'Cór Gréagach' ar an scéal
Seán Connery, 40, tionónta
Séamas Connery, 25, deartháir leis
Cáit Mhór, a máthair
Siún Tóibín, cailín Shéamais
Máthair Shiúin
Holmes, an tiarna talún
Caedach, a bháille
Nan Thomáis, cailín de chuid na háite
Éamon Paor, tionónta eile, duine muintire leis an mbáille; bhíodh sé mór le Nan Thomáis
Cuimín, súmaire; fear díolta na gConnerys
Fear Tábhairne/Ceantálaí
Comhluadar sa Tábhairne

Am 1860–70
Suíomh, Dearadh: impreiseanaíoch, minimum tógála:
   Droichead
   Teach tábhairne
   Cistin tuaithe
   Teach Holmes
   Teach cúirte

GNÍOMH I

Éiríonn an cuirtín ar shleamhnáin (scann-
án mute 16 mm) ar scáileán bán: bád
seoil den seandéanamh ag fágáil cuain.
Fonn 'Na Connerys' á sheinm ar an
bhfeadóg. Tagann Scéalaí isteach agus
suíonn ar an droichead. An fheadóg mar
chúlcheol dá chuid cainte

SCÉALAÍ

Sin agat iad na Connerys! Buachaillí deasa,
dar fia, fir mhaithe! Ach faraoir, tá siad ag
imeacht. Ar a laghad, thug siad a n-anam leo.
Ba ródhóbair dóibh dul—suas! (*Déanann sé*
comhartha lena láimh thart ar a mhuineál:
crochadh.) Aye, is mó uafás atá ar an saol na
blianta seo. Marú, dúnmharú, fuil, gunnaí,
dhera ná bí ag caint, a dhuine! Cad is fiú saol
an duine in Éirinn? D'éag cúpla milliún
díobh ar thalamh na tíre scór bliain ó shin—
ar bhog oiread is duine dár lucht ceannais as
a thortóg chluthar le lámh chúnta a thabhairt
dóibh? Preit, a dhuine, cad ab fhiú a leithéid?

NA CONNERYS

Dhá mhilliún díobh! Más ea, ná bí ag súil le
haon scéal uafáis anseo. Má tá ceacht sa scéal
seo agamsa, ní aon cheacht uafáis é! Ní hea,
ach a mhalairt—duine a thuig in am cé
chomh cam a bhí an saol thart air agus a
rinne beart dá réir! Sea, a rún, is fíor go
bhfuil an bás ann. Ach tá an bheatha ann
chomh maith. Agus fad atá an duine beo, is ar
thaobh na beatha atá sé. Mar a bhí Seán
Connery... Is diabhalta doicheallach an
súgán é an chloch faoi do thóin! Fan go
socród mé féin, ansin cuirfidh mé roinnt
daoine in aithne... Sea, anois. In Éirinn
atáimid, i lár an naoú céad déag d'aois ár
dTiarna, tá na tiarnaí talún in ard a réime,
agus na redcoats faoi arm is éide sna beairicí
le féachaint chuige gur mar sin a bheidh.
Sráidbhaile i ndeisceart na hÉireann, tar-
laíonn gur Both an Dúna atá air, tarlaíonn
gur i bPort Láirge atá sé—ach d'fhéadfadh sé
bheith in áit ar bith. Ó thuaidh ansin uait tá
na Comaraigh, ó dheas an fharraige. Áitín
chiúin, áit gan aird gan aithne, déarfá.
Síorobair, síorbhochtanas, leanaí á dtabhairt
ar an saol, iad ag teacht, ag fás, ag
imeacht—sin stair ár gcine. Ag Críost amháin
atá fhios cá dtéann siad—Liverpool, Bristol;

GNÍOMH I

NA CONNERYS

áiteanna atá fad na síoraíochta i gcéin, Bos-
ton, Philadelphia, New York! Maidir leo seo
(*an bád seoil*), chuaigh siad seo níos faide
ná aoinne acu. (*Cloistear ceol 'I'm bound for
Botany Bay.'*) Ach sin críoch an scéil, gan a
thús fós againn! Bhuel, tiocfaimid chuige.
(*Tagann comhluadar isteach sa tábhairne: na
Connerys, Paor, Cuimín, daoine eile; fear an
tábhairne ag an gcabhantar. 'Fráma righin' iad
sa dorchacht go gcuirtear sa tsiúl iad le soilse.*)
Sea, túisce deoch ná scéal. Tá an deoch go
maith anseo thart. Sea, ambaist, agus na
hamhráin níos fearr!

> *Deochanna á ndáileadh, amhrán bád-
> óireachta Déiseach á chanadh go hard,
> sluacheol ag a dheireadh. Trína lár dreas
> rince aonair, é breá aerach scaoilte, ní nós
> righin na scoileanna! Séamas Connery is-
> tigh ina lár, fear tionlacain an ghleo. Ag
> deireadh an damhsa, íslítear soilse arís,
> fanann an comhluadar go docht mar a
> bhfuil siad. Solas ar Scéalaí*

SCÉALAÍ

Hm! Sin é an seanspriid, é beo fós ainneoin
diabhail an bhochtanais agus uile. (*An fheadóg
arís, 'Na Connerys.' Soilse ar an gceathrar de*

réir mar a ainmnítear iad.) B'shin Séamas
Connery, istigh sa lár. Agus b'shin a
dheartháir, Seán. Duine díobh chomh
meidhreach aerach is atá an fear eile stuama
ciúin . . . Cuimín! Ó fear gleoite glic, do chara
go bás, dála an chait gur ar mhaithe leis féin a
dhéanann sé a chronán! Agus Éamon Paor—
cén scéal atá ag gabháil leis siúd? Fear a thréig
cailín ar mhaithe le paiste talún! . . . Ó mo
léan géar nach in áit fholláin a bhí siad seo ar
fad, áit a mbeadh fairsingeacht acu lena gcuid
a thuilleamh gan tiarnaí talún lena n-allas a
shú! (*Ardaítear ceol 'Botany Bay.'*) Ach sin an
saol duit, ní in aon áit eile atá siad, tá siad
anseo. Anseo amháin a thiocfadh siad ar an
gcinniúint a bhí leagtha amach dóibh.
(*Imíonn sé. Soilse ar an gcomhluadar. Ceol beo nó
gramafón, an chraic chéanna, half-set, gan a
bheith rófhoirmiúil*)

CUIMÍN

Ohó, a Shéamaisín Connery, is tusa an
buachaillín seoigh! Nach bhfuil an ceart
agam, hah?

AN COMHLUADAR, *ad lib*

Mo ghreidhn thú! Óró tá agus ceart. Go
maire tú!

NA CONNERYS

Gabh i leith anseo chugam go gcroithfidh mé lámh leat.

SÉAMAS

Ó scaoil dhíom, táim traochta.

CUIMÍN

Cén traochadh? Níl rud ar bith a thraochfadh tusa, buachaill seoigh. Níl aon oidhre ar d'athair bocht ach tú! Óhó, a ghiolla an chroí mheidhrigh, nach air a bheadh an bród dá bhfeicfeadh sé anocht thú! (*Le fear an tí*) Seo, a ghiolla, deoch do chách. (*Alltacht ar an gcomhluadar—Cuimín ag ceannach deoch!*) Ormsa an ceann seo!

FEAR A' TÍ, *leis an gcomhluadar*

Beidh gealach na gcoinleach in airde anocht!

CUIMÍN

Céard é sin a deir tú?...Deoch don chomhluadar a deirim. Líon leat go beo. Bhuel, cén mhoill atá ort?

FEAR A' TÍ

Do chuid airgid, a Chuimín?

NA CONNERYS

CUIMÍN

Nach bhfuil aithne agat orm?

FEAR A' TÍ

Chuige sin atáim.

CUIMÍN

An amhlaidh a cheapann tú go ndéanfainn faillí?

FEAR A' TÍ

Ar ndóigh ní dhéanfadh!

SLUA

Ariú ní dhéanfadh! Fear bocht macánta! Cuimín an oinigh!

SEÁN

Tarraing leat. Ormsa atá sé.

ÉAMON

Tá tú fial, a Sheáin.

SEÁN

Ní minic mé i gcomhluadar.

18   GNÍOMH I

NA CONNERYS

ÉAMON

Ná mise, ach ní móide an fonn ceannaithe a bhíonn orm . . . Ní foláir nó rinne tú go maith inniu.

SEÁN

Maith go leor.

SÉAMAS

Mise á rá leat!

SEÁN

Tá luach an reicneála seo agam ar chaoi ar bith.

SÉAMAS

Tá, a dhuine, agus agamsa!

SEÁN

Fág fúmsa é!

SÉAMAS, *ar mire ag an deoch agus an rince*

Ceann ormsa ansin!

CUIMÍN

Beidh oíche anseo fós!

NA CONNERYS

Beidh agus oíche! Leathchéad craiceann caorach díolta! Mise á rá leat go mbeidh oíche anseo fós! (*Ag tarraingt airgid chuige*) Cad déarfá leis seo?

SEÁN, *á bhrú i leataobh lena cheilt*

Cuir uait é, mise atá ag ceannach.

CUIMÍN

Dhera, tabhair seans dó, tá sé óg fós.

SEÁN

Sách óg le go gceapfadh sé gur cara leis súmaire mar thusa . . . Seo leat, tá bóthar fada romhainn!

SÉAMAS

Dhera, a Sheáin, cén deifir atá orainn? Nach bhfuil an ceart agam, a Phaoraigh?

ÉAMON

Ní fheadar, níl bóithre dorcha róshábháilte.

SÉAMAS, *ag tarraingt gunna chuige*

Tá rudaí againn 'nár bpócaí seachas airgead!

NA CONNERYS

SEÁN, *go fíochmhar*

Cuir uait é! Siúil leat. (*Os ard don bheár*) Na
caoirigh ar an gcnoc, bímid imníoch fúthu . . .
Maraíodh loc mór díobh cúpla oíche ó shin.
An sionnach is dócha.

CUIMÍN, *beo ar fad anois de bharr an ghunna*

Níor chuala riamh faoi shionnach ar an
gcnoc . . .

SEÁN

Bíonn siad ann.

CUIMÍN

Ach, a Sheáinín Connery, nach baolach an
gléisín é sin len iad a chur as?

SEÁN, *ag caitheamh airgid ar an gcabhantar*

Íocfaidh sé seo as an deoch. Beimid ag bual-
adh bóthair.

CUIMÍN

Bígí san airdeall roimh na púcaí!

SEÁN

Tá rudaí is measa ná púcaí ann! (*Exit, Séamas
go drugallach ina dhiaidh*)

NA CONNERYS

CUIMÍN, *gliondar air; is deacair súmaire
mar é a mhaslú*

Bhuel, ní féidir le haoinne a rá nach duine
uasal é!

PAOR

Aisteach an uaisleacht é!

CUIMÍN

Ná bíodh ceist ort, a Phaoraigh, is duine uasal
é seo (*Ag caitheamh siar a dheoch*)!

PAOR

B'fhéidir nach réidh a thiocfaidh a chuid
uaisleacht chuige as seo amach.

CUIMÍN

Ó? Agus cad is brí leis sin?

PAOR

Tá an báille nua ag ardú cíosa.

CUIMÍN

Caedach? B'fhearr liom gurbh iadsan, agus
nach mise a bheadh á íoc! Deas an bastard é
sin le bheith ag plé leis.

22

NA CONNERYS

Seachain do theanga, is duine muintire liom-
sa é.

CUIMÍN

Agus a rian ort!

PAOR

Gread leat, a bhastaird, nó criogfaidh mé
thú. (*Ritheann Cuimín, íslítear soilse. Lastar iad
ar chistin na gConaireach. Tá Séamas ag an
mbord, meall airgid os a comhair. Isteach le Siún,
cuireann dallaphúicín lena lámha air*)

SIÚN

Tomhas!

SÉAMAS, *beireann greim uirthi, ansin tá sí
ar a ghlúin aige*

Tusa!

SIÚN

Scaoil dhíom, tiocfaidh do mháthair.

SÉAMAS, *a ghreim ag neartú*

Tagadh!

NA CONNERYS

Feicfidh sí sinn! Béarfar orainn.

SÉAMAS

Béartar, táim réidh leis an obair rúnda as seo
amach!

SIÚN, *ag géilleadh*

Conas?

SÉAMAS

Go luath anois! (*Ritheann sé a mhéara tríd
an airgead.*) Go luath anois, tusa agus mise,
beimid le chéile! Aontíos, aontocht, aon-
chorp ...

SIÚN

A Shéamais, cá bhfuair tú é?

SÉAMAS

Na caoirigh. Dhíolamar leathchéad craiceann
ar an margadh i nDún Garbhán. É seo dhá
uair sa bhliain!

SIÚN

Ach an tiarna?

NA CONNERYS

Talamh sléibhe? Níl aon chíos ar thalamh
sléibhe.

SIÚN

Tá báille nua aige.

SÉAMAS

Sin a bhí an Paorach á rá.

SIÚN

Bhí sé timpeall cheana.

SÉAMAS

Agus fáilte roimhe. Tá súil agam go ndearna
an t-aer úr maitheas dá shláinte. Báillí! Tá
freagra agamsa orthu siúd (*An gunna ina
láimh*).

SIÚN

A Shéamais, cá bhfuair tú é sin?

SÉAMAS

Ná bíodh eagla ort, nílim chun aon dochar a
dhéanamh duitse leis.

NA CONNERYS

Ní maith liom é

SÉAMAS

Is cailín tú, bean bheag óg, tabhair aire do do
ghnó féin, fág seo fúmsa.

SIÚN

Deir an Paorach gur fear dian é.

SÉAMAS

Bíodh. Íocfar a chuid, ach fanadh sé amach
as seo... Ach, ní gá duitse bheith do do
bhuaireadh féin... (*Ag tabhairt an airgid di*)
Seo, bíodh sé agatsa.

SIÚN

Cén gnó a bheadh agamsa de?

SÉAMAS

Téigh ar an margadh i bPort Láirge. Seo,
bailigh leat, bí ag ceannach.

SIÚN

Ach cén rud? Cad tá le ceannach agam?

NA CONNERYS

Bráillíní.

Bráillíní?

Bráillíní bána dár leaba phósta!

Rachainn aon áit leat. Dhéanfainn rud ar bith
is mian leat.

Rud ar bith (*Ag scaoileadh a cuid cnaipí*)?

Rud ar bith . . .
 Íslítear na soilse. Téann an bheirt amach.
 Lastar na soilse arís ar an gcistin. Isteach le
 Caedach ar na Connerys

Bhí sibh sa bhaile mór inné?

Bhí.

CAEDACH

Sin an dara huair le mí.

SÉAMAS

Bíonn tú ag faire.

CAEDACH

Is é mo ghnó é.

SÉAMAS

Gnó suarach!

CAEDACH

Seachain do theanga anois. Leis an mbáille
atá tú ag caint.

SÉAMAS

Tá cead cainte agam i mo theach féin!

CAEDACH

B'fhéidir nach fada eile a bheifeá ann.

SEÁN

Bhfuil gnó agat anseo, a bháille?

CAEDACH

Is maith liom do chuid béasa, a Mhic uí

Chonaire. Tuigeann tusa conas is cóir labhairt le daoine.

SEÁN

Mura bhfuil gnó agat, gread leat, níl aon fháilte anseo romhat!

CAEDACH

Óhó, tusa freisin, dar fia. Na fir mhóra atá againn! Ní mór don bháille bocht a bheith san airdeall. Ní ag lorg fáilte atáim, de cheart atáim anseo. Bíodh a fhios sin agaibh. De cheart. De mo cheart féin, de cheart an Tiarna Holmes.

SÉAMAS

Cunús!

CAEDACH

Céard é sin . . .

SEÁN

Tá ár gceart féin againne. Tá ár gcíos íoctha.

CAEDACH

Cuid!

NA CONNERYS

An t-iomlán! (*Raideann an leabhar cíosa faoina shrón.*) Do shíniú féin. Cúig phunt déag, gach leathphingin rua! Anois gread leat, tá do chuid agat.

CAEDACH, *ag tógáil ceann de na craicne caorach ón talamh*

Agus iad seo?

SÉAMAS, *sracann go grod uaidh é*

Cuir uait é.

CAEDACH

Sin rud nach ndéanfainn, dá mbeinn id áit . . . Ar an gcnoc atá na caoirigh agaibh?

SEÁN

Is coimín é, tá ceart iníor ann gan chíos.

CAEDACH

Tá—de thoil an Tiarna Holmes.

SÉAMAS, *ag breith greim lipéid air*

Cad tá á rá agat, a chladhaire?

NA CONNERYS

SEÁN, *ag dul eatarthu*

Scaoil dhe, cuir uait a deirim . . . (*Le Caedach*)
Is talamh coimín an cnoc sin, ní raibh cíos
riamh air.

CAEDACH

B'shin féile an tiarna. Déanann an tiarna rud,
athraíonn sé é. Sin gnó an tiarna.

SEÁN

Ach ní sinne amháin atá ag tógáil caorach
ann. Tá gach aoinne á dhéanamh.

CAEDACH

Sea, ach ní gach aoinne a bhíonn ar an mar-
gadh uair sa ráithe le barr luachmhar mar a
bhíonn agaibhse.

SEÁN

Níl faic againn ach mar atá ag cách.

CAEDACH

Ní hé sin an scéal atá agamsa.

SEÁN

Ach conas a bheadh? Níl ann ach an bheirt

againn, baintreach mo mháthair, níl ach an
cúpla acra againn.

SÉAMAS

Agus ár sá cíosa air sin.

CAEDACH

Cloisim caint faoi lear mór airgid sa tigh
tábhairne!

SEÁN

Cé d'inis é sin duit?

CAEDACH

Ó bíonn mo chuid cairde agam.

SÉAMAS

Déarfainn go mbíonn—súmairí ... Pé air-
gead atá againn, is le saothar ár láimhe féin é!

CAEDACH

Talamh an tiarna, a Chonaraígh! Airgead an
tiarna atá i do phócaí!

SÉAMAS

Ár gcuid airgid féin é. Ár gcuid fola is feola
is allais féin! Mise, mo dheartháir, mo

NA CONNERYS

mháthair! Ár n-athair romhainn ar chuir pór
salach do thiarnasa i gcré é sula raibh dhá
scór bliain slán aige!

CAEDACH

Tabharfaidh mé comhairle do leasa duitse
sula mbíonn sé ródhéanach, a bhuachaill.
Beidh an chnáib le húll do scornaíse mura
gcleachtaíonn tú nós labhartha níos séimhe.

SÉAMAS

Is linne na caoirigh sin. Is linne gach feoirling
a thuillimid leo.

CAEDACH

Is leis an tiarna an cnoc, a bhoicín! Féach, tá
sé anseo ar an léarscáil agam. Seo, gabh i
leith, bí á léamh. Sé sin má tá aon léamh agat.

SÉAMAS

Cuirfidh mé críoch leis an mbastard gránna
(*Greim aige air, á thachtadh*). Tachtfaidh mé é.
(*Le Seán atá ag iarraidh é sracadh uaidh*) Lig
dom!

SEÁN

Scaoil dhe, scaoil dhe, a phleidhce. (*Caitheann
i leataobh é*)

NA CONNERYS

CAEDACH, *giorra-anáile air*

Díolfaidh tusa as seo, a ghaigín ... Díolfaidh
sibh beirt as ... Táim á rá libh anois ...
Mionnaím i láthair Chríost nach dtugann
aoinne fúmsa mar sin agus teacht slán as.

SEÁN

Gread leat!

CAEDACH

Nílim ag imeacht.

SEÁN

Tá rabhadh faighte agat.

CAEDACH

Tá agus agatsa. Tá cuimhne fhada agamsa
agus táim á rá i láthair Chríost go ndíolfaidh
sibh as seo.

SÉAMAS

Gread leat. Agus má chuireann tú do chos
bhradach thar táirseach an dorais sin arís
cuirfidh mé deireadh leat cinnte. Agus ní
chuirfidh seisean (*Ag bagairt ar Sheán*) stop
liom an uair seo.

NA CONNERYS

SEÁN

Fan amach uaidh, a deirim . . . Cé mhéad atá
uait?

CAEDACH

Cíos ar an gcoimín—deich bpunt . . . agus—

SEÁN

Agus . . .

CAEDACH, *ag féachaint ar Shéamas*

Do na caoirigh, fiche!

SÉAMAS, *ag déanamh air, Seán á chosc*

Lig dom, a deirim, scoiltfidh mé a bhlaosc
ghránna!

SEÁN

Á bhailiú?

CAEDACH

Laethanta an ghála mar is gnách. In oifig an
tiarna.

SEÁN

Íocfar é.

NA CONNERYS

CAEDACH

Roimh ré.

SEÁN

Ach níor labhair tú faoi go dtí anois.

CAEDACH

Ní anois a thosaigh na caoirigh ag iníor (*A lámh amach á iarraidh*).

SÉAMAS

Ná tabhair dó é.
Tugann Seán an t-airgead do Chaedach

CAEDACH

Go n-éirí an . . . t-ádh libh. (*Exit*)

SÉAMAS

Cén fáth nár scaoil tú liom?

SEÁN

Agus tú chur ar an gcroch ar maidin?

SÉAMAS

B'fhearr é ná seo.

NA CONNERYS

SEÁN

Ní féidir a leithéid sin a throid id aonar.

SÉAMAS

Níl ach an t-aon bhealach lena throid.
(*Tógann amach an gunna*)

SEÁN

Cuir uait é, tá tú id aonar.

SÉAMAS

Dhéanfadh urchar aonair cúis.

SEÁN

Urchar amú, bheadh duine eile ina áit.
*Teach an Tiarna Holmes. Dearadh im-
preiseanaíoch—cathaoir ríoga, stól coise,
bord in aice láimhe ar a bhfuil gloiní agus
decantar fuisce. Isteach le Caedach, é ar
buile*

CAEDACH

Brisfidh mé iad! Criogfaidh mé go talamh
iad! Gaigíní a mhaslódh mé ar an láthair!
Chuirfeadh sé deireadh liom! Feicfimid an
deireadh! (*Isteach Nan; is léir gur díol suime*

aici é seo. Amach arís léi nuair atá brí na cainte
bailithe aici.) Cuirfidh mise róipín le do
chneas mín, a Shéamais Connery, nó beidh
fhios ag Dia cén fáth. Agus tusa freisin, a fhir
stuama de dheartháir leat, feicfimid cén
stuaim a bheidh ionat faoin am a bheas mise
réidh leat! Conas? . . . Conas? Conas a
dhéanfaidh mé é? (*Síos suas leis, fuip á himirt ar*
a lámha. Íslítear soilse, fanann Caedach socair
[*fráma righin*] *ar an stáitse. Spota ar Scéalaí*)

SCÉALAÍ

Agus sin mar a bhí. Bhí fear á mhaslú, fear
binbeach glic—ní go réidh a scaoilfeadh sé
leis. Ach seo nod duitse—ná bí ag ceapadh
gur scéal é seo a ghabhann le lár na haoise seo
caite. Is fíor go bhfuil na tiarnaí imithe, tá a
bpór scriosta leo, ach tá an scéal seo timpeall
orainn i gcónaí. Tá crann na tubaiste anuas ar
dhaoine fós, agus mo léan géar, ní mór dóibh
fanacht beo . . . Dá mba rud é gur chun leasa
na mbuachaillí sin a bhí sé, is beag caoi a
gheobhadh sé chuige. Ach ní hea, is chun báis
agus basctha atá sé. Agus, luath nó mall,
gheobhaidh sé caoi chuige sin. Sin an saol
falsa atá againn. Agatsa, agamsa, ag gach aon
duine beo. Dá réir sin, bígí san airdeall.

NA CONNERYS

Foghlaimígí an ceacht in am. Nuair atá crann na tubaiste ar tí titim, bíodh lúth na gcos ionat le teitheadh ón láthair. (*Soilse ar Chaedach arís.*) Nó mar a deir an fear seo, criogfaidh sé thú.

Múchtar an spota agus exit Scéalaí. Isteach an Tiarna Holmes, suíonn ar a chathaoir, cosa ata ar an stól

CAEDACH

A mháistir!

HOLMES, *masmas air*

Máistir!

CAEDACH

Tá rud beag le hiarraidh agam ort!

HOLMES

Bheadh! Cén rud? Cad tá uait? Airgead? Níl sé le fáil.

CAEDACH

Ní hea, a Thiarna Holmes, a dhuine uasail, tá tusa fial liom, tá mo dhóthain agam cheana!

HOLMES

Hm! Tá a dhóthain aige! Ó mo chos, mallacht Chríost uirthi mar phian dhamanta!

NA CONNERYS

CAEDACH

Tá aithne agat ar na Connerys?

HOLMES

Both a' Dúna? Meirligh atá iontu ach íocann siad a gcuid cíosa. Bhuel? A ngabháltas atá uait?

CAEDACH

Ní uaimse ach uaitse! Tá an ceart agat, is meirligh iad.

HOLMES

Féachadh na póilíní chucu.

CAEDACH

Ach is meirligh iad. Tá siad dainséarach. Thug siad fúm inniu. Tá gunnaí acu. Luath nó mall, maróidh siad mé. Agus tusa chomh maith liom.

HOLMES

Nach eol dom é? Mharódh gach aoinne mé, ach deis a fháil chuige. Cén fáth a maróidís mise? Céard a rinne mise orthu? Faic! Cíos a ghlacadh, slí bheatha a thabhairt dóibh, sin an méid. Ach fós féin, táid ar mo thóir le

piléar a chur trí mo chroí. Ní thuigim
é . . . Cad ab áil leat a dhéanfainn leo?

CAEDACH

Díshealbhú!

HOLMES

An bhfuil a gcíos díolta?

CAEDACH

Nach cuma, is meirligh iad!

HOLMES

Cíos, a dhuine, níl suim agamsa i rud ar bith
eile. Tá an Fómhar ag teacht, beidh orm dul
go Londain, meas tú cé as a thagann an
t-airgead? Ardaigh an cíos orthu, mura
n-íocann siad é díshealbhaigh iad ansin.

CAEDACH

Ach sin donas an scéil. D'ardaigh mé an cíos
orthu.

HOLMES

Agus?

CAEDACH

Íocfaidh siad é!

NA CONNERYS

HOLMES, *ag screadaíl*

Glan as mo radharc, a bhambairne! An amhlaidh nach dtuigeann tú an t-aon riail a ghabhann le báille nua a fhostú? Go bhfaigheadh sé breis cíosa? An dtuigeann tú mé? Breis, breis, breis, sin agus sin amháin. Tuirseach bréan atáim de dhaoine nach bhfuil smid tuisceana acu do mo chuid deacrachtaí! Glan as mo radharc a deirim! (*Slogann sé a dheoch, imíonn. Caedach ag siúl síos suas. Líonann sé deoch dó féin agus slogann go fáilí. Ach tá Nan laistiar de*)

NAN

Cladhaire! (*Tachtann Caedach.*) Maidrín bradach, ag slogadh fuisce an tiarna!

CAEDACH

Tá cead agam. Dúirt an tiarna liom é.

NAN

Is mó rud a deireann sé!

CAEDACH

Seachain do theanga, a bhean, nó díolfaidh tú as.

NA CONNERYS

NAN

Ó díolfaidh mé as, an ndíolfaidh? Agus cén
eagla a bheadh ortsa roimh mo theanga?
Abair, cén eagla?

CAEDACH

Bí i do thost. Cloisfear thú.

NAN

An amhlaidh atá eagla ort go sceithfí do rún
ort?

CAEDACH

Níl aon rún le sceitheadh ormsa.

NAN

Nach bhfuil anois? Duine deas macánta a
thug cairde bliana do mo mháthair leis an
gcíos a íoc agus a chuir mise anseo le nach
mbeinn mar ualach uirthi? Abair, abair—cén
fáth ar chuir tú go teach an tiarna mé?

— CAEDACH

Chuir mé mar chailín aimsire thú.

NA CONNERYS

Aimsir? Cén aimsir? Abair leat, a bháille, cén aimsir a bhí i gceist agat?

CAEDACH

Glan leat as seo, ní chun labhairt leatsa a thánas ach leis an tiarna.

NAN

An fear bocht, tá sé tuirseach! Rómhinic sa diallait, a bháille—an dtuigeann tú mé?

CAEDACH

Ní thuigim focal dá bhfuil á rá agat. Ní chun labhairt leatsa a thánas.

NAN

Labhróidh tú liomsa, a chladhaire, mar cuirfidh mise an ruaig ortsa as an áit seo más é beart deiridh mo shaoil é. Dar m'fhocal i láthair Chríost, tá an méid sin á rá anois agus déanfar é. An dtuigeann tú é sin? . . . Bhí fear maith agam, scar tusa uaim é.

CAEDACH

Éamon Paor? Spailpín bocht nach raibh faic

GNÍOMH I

ar an saol aige ach an méid a bhí aige uaimse?

NAN

Bhí ainm gan cáim aige. Ach anois tá talamh gan cíos aige agus tá mise anseo . . .

CAEDACH

Ar aimsir ar feadh an tséasúir.

NAN

Séasúr na leapa, an dtuigeann tú é sin? . . . Ar ndóigh, ní bheadh aon eolas agatsa faoi sin, duine bocht saonta mar thú! Feairín bocht gan bhod gan mhagairle, sin é mo bháille caoin! (*Cloistear ceol 'Na Connerys'—Nioclás Tóibín ag canadh véarsa 3 an amhráin.*) Díolfaidh tusa as an gcleas cam a d'imir tú ormsa, a bháille, má dhíol tú as rud ar bith riamh.

CAEDACH

An ndíolfaidh? Agus abair, a striapach, conas a dhíolfaidh mé as? An tusa a chúiteos liom é? (*Slogann deoch eile. Tá sé ag bailiú dánachta chuige.*) Tusa a bhfuil do bhláth bainte díot? Cén bhaint a bheadh ag aoinne leatsa anois? Cén bhaint a bheadh ag aon fhear leat? Ní

NA CONNERYS

bheidh aon bhaint ag mo dhuine muintire
Éamon Paor leat, féachfaidh mise chuige sin.
Agus ár dtiarna uasal, cén bhaint a bheadh
aige siúd leat? Tusa a bhfuil do chuid seoda
— ha! — bronnta agat air? Striapach! (*Isteach
Holmes air seo*)

HOLMES

Ha? Ha? Cad tá á rá anseo?

NAN

An cladhaire de bháille agat . . .

CAEDACH, *an fuip á bagairt aige*

A Thiarna Holmes, a dhuine uasail . . .

NAN

Duine uasal a thugann sé air!

CAEDACH

An gcloiseann tú í? An gcloiseann tú an tar-
caisne as a béal? Tá an scubaid seo éirithe an-
dána, a thiarna.

NAN

Seachain anois, a bháille, ní le haon sclábhaí
ós na botháin atá tú ag caint, le grá geal do

46

GNÍOMH I

thiarna atá tú ag caint (*Ag cur a méir sa fuisce doirte ar an mbord agus á sá faoi shrón Holmes*). Cad é sin? Fuisce—do chuidse fuisce! Sin is béas leis, a bheith ag goid is ag slad ó dhaoine.

CAEDACH

Éist do bhéal, a striapach!

NAN

Striapach, an ea? Agus cé rinne striapach díom? Abair sin liom? Do thiarna oirirc, sea, tusa, sin a rinne striapach díom.

HOLMES

Raibh sise ag ól?

NAN

Ná bíodh eagla ort, a thiarna, a dhuine uasail, sir; ní mise a shlog do chuid fuisce. Tá an iomarca de do chuidse slogtha agam cheana—salachar ná glanfar choíche as mo chorp!

Tugann an bheirt acu fúithi. Íslítear na soilse ar raic, gloiní á mbriseadh, troscán á chartadh. Lastar na soilse ar chistin na gConaireach. Siún ag canadh, í ag sníomh

NA CONNERYS

nó ag fuáil, de réir mar a oireann. I lár an
véarsa, isteach le Séamas; an t-amhrán eat-
arthu ansin

SIÚN, *ag canadh*

Maidin Fómhair is mé ag dul go hEochaill
Do casadh ógbhean orm sa tslí,
Bhí scáil ina leiceann ar dhath na rósaí
A's ba bhinne a glór ná na ceolta sí.

SÉAMAS, *ag canadh*

Leagas mo lámh thar a bráid le mórtas
Agus d'iarr mé póigín ar stór mo chroí.

SIÚN

Sé dúirt sí 'stad, a's ná stróic mo chlóca,
A's gan fios do ghnósa ag bean a' tí.'

SÉAMAS

Seo mo lámh duit ná fuilim pósta
Is gur buachaill óg mé thug gean do
   mhnaoi,
'S dá dtriallfá liomsa ar ais go hEochaill
Go bhfaighfeá ómós mar gheobhadh bean tí.

Chuirfinn high-caul cap i gceart's i gcóir ort
Gúna, clóca agus caipisín,

NA CONNERYS

Bheadh siopadriam agat den fhíon's den
   bheorach,
'S do leanbh dóighiúil ag tarraingt dí!
   Isteach Cáit Mhór ar an amhrán

CÁIT MHÓR

Bhuel is maith an ní go bhfuil daoine ag
canadh amhrán is gan obair an lae
leathdhéanta.

SÉAMAS, *ag baint fáscadh as a com*

Canfaidh mé amhrán duitse freisin, a
mháithrín, cén ceann ba mhaith leat? (*Roinnt
nótaí airgid faoina srón*) 'Cailleach an airgid?'

CÁIT MHÓR

Gread leat as mo radharc, a ghaigín . . . Cá
bhfuair tú é sin?

SÉAMAS

Cá bhfuair mé é? Cá bhfuair mé é ach san áit
ina bhfaighim i gcónaí é. Ma-a-a-a-ahh
(*Méileach caorach*).

CÁIT MHÓR

Ach thug Seán airgead na gcaorach dom.

NA CONNERYS

B'shin a chuid féin de. Beidh tú i do chaill-
each an airgid fós, a mháithrín, agus ár
dtiarna uasal oirirc ag lorg iasacht uaitse!

CÁIT MHÓR

Ha, sin scéal! Seo, ní ionann cúpla pingin air-
gid is feirm talún a choimeád le chéile.
Amach leat go beo, tá Seán amuigh ansin ina
aonar. (*Tugann buille sa tóin san imeacht dó.*) Á,
buachaill maith, buachaill dílis! Óró, a
chailín, nach leatsa atá an t-ádh, is gan de
chúram sa saol ort ach a bheith ag féachaint
chugat féin! Seo i gceart, siúd i gceart, na
buachaillí ag féachaint ort!

SIÚN

Buachaillí?

CÁIT MHÓR

Sea, a chroí, sin agat an saol. Beir ar an uain,
beidh na cúramaí anuas ort sách luath.
Buachaill teasaí é, ní mór duit a bheith
foighneach leis.

SIÚN

Bhuel sin rud a bhfuil taithí agam air, a

NA CONNERYS

bheith foighneach! Tá ochtar sa bhaile ansin,
is gan de smacht orthu ach mo mháthair is mé
féin!

CÁIT MHÓR

Tá a fhios agam é, a chroí, agus máthair
mhaith agat, ar nós gach aon mháthair atá ag
iarraidh clann a thógáil ar an saol dian seo.
(*Cloistear 'Na Connerys', véarsa 4, nó feadóg, de
réir mar a oireann.*) Bhíos ag féachaint air
anois beag ag teacht isteach dom. Agus bhfuil
a fhios agat seo, ó fuair a n-athair bás ní fhaca
riamh lá chomh sona leis sa teach seo. Seán ar
a shocracht amuigh ansin, eisean istigh anseo
leatsa ag canadh amhráin! Agus mise ag éirí
sean ag féachaint orthu in aice liom is mé ag
rá liom féin nár chlis mé orthu!
*Isteach Nan, cuma na drochíde uirthi. Siún
ag deifriú chuici; Cáit Mhór faiteach, ag
fanacht ar gcúl*

SIÚN

Cad a tharla dhuit? Nan! Nan Thomáis! An
n-aithníonn tú mé? Is mise Siún. Siún Tóibín.
Seo, a chroí, cuir do cheann siar.

NA CONNERYS

Tabhair deoch dom ar son Dé. (*Amach le Siún lena fháil*)

CÁIT MHÓR, *go fuarchúiseach; tá drochobair anseo, ní mian léi bheith páirteach ann*

Ní maith an chuma atá ort a chailín. An amhlaidh nár chaith an tiarna go maith leat? *Isteach Siún le Séamas; doirteann seisean deoch fuisce do Nan*

NAN

Ní mise an chéad bhaotháinín sa dúiche nár chaith an tiarna go maith léi. An amhlaidh nach eol duit cad a tharlaíonn do mo leithéidse i dteach an tiarna?

SIÚN, *ag tabhairt an deoch di*

Seo, a chroí, déanfaidh deoirín de seo maith dhuit.

NAN, *ag caitheamh uaithi an deoch*

Uisce!

SIÚN

Déanfaidh sé maitheas duit.

52   GNÍOMH I

NA CONNERYS

Ha, maitheas! Seo an maitheas a rinne sé dom cheana . . .

SIÚN

Gheobhaidh mé a máthair.

NAN, *ag léim chuici*

Ar son Dé, ná hinsíodh aoinne do mo mháthair. Beidh a fhios aici sách luath . . .
Isteach Caedach agus fuip aige

CAEDACH, *an fuip á himirt aige*

Gread leat! Amach leat as seo go beo! Má leagann tú cos go deo arís ar thalamh an Tiarna Holmes, daorfar tú.

SÉAMAS, *laistiar de, greim aige ar a scornach*

Scaoil di, a chunúis!

CÁIT MHÓR, *ag iarraidh dul eatarthu*

A Shéamais, ar son Dé, beimid ar an mbóthar.

SÉAMAS

Fan amach, ní gnó do bhean é seo. (*Le*

Caedach) Scaoil di! (*Ní scaoileann. Isteach Seán, briseann greim Shéamais, caitheann uaidh é*)

SEÁN, *le Caedach*

Scaoil den bhean.

CAEDACH

Agus mura scaoileann?

SEÁN

Scaoil! (*Scaoileann Caedach. Labhraíonn Seán le Nan.*) Imigh leat, ní chuirfear isteach ort anseo níos mó. (*Amach léi.*) Anois, a bháille. Fuair tusa rabhadh cheana, ní bhfaighidh tú ceann eile uaimse. Íocfar do chuid cíosa ach fan amach uainn. Fan amach uainn—an gcloiseann tú mé? Nó táim á rá seo leat, is duit is measa.

Tá Siún le taobh Shéamais, súile Chaedaigh uirthi

CAEDACH

B'fhéidir go mbeidh focal nó dhó le rá ag an tiarna faoi sin (*Ag imeacht uathu*). Ní raibh a fhios agam go dtí anois go raibh ornáid mar seo sa teach. Beidh suim ag an tiarna Holmes

NA CONNERYS

ansin. Sea, feicfimid anois cé bheas ag gáire ar deireadh thiar.

Brat

DEIREADH GNÍMH I

GNÍOMH II

Spotasholas ar an droichead

Agus sin mar a bhí. Theith Nan Thomáis
bhocht as an áit, isteach go Port Láirge a
chuaigh sí, áit a mbíonn fuílleach bád sa
chuan. Agus an áit a mbíonn bád, bíonn
mairnéalach, agus an áit a mbíonn an
mairnéalach bíonn bean. Bhuel, sin an saol;
mar a dúirt Naomh Agaistín bocht, bheadh
an cine daonna báite le drúis fadó mura
mbeadh an striapach lena choimeád slán!
Ach má chuaigh sí i mbun an ghairm a mhúin
an tiarna talún Holmes di, thug sí fonn
díoltais léi ina croí. Agus nuair a chuireann tú
fonn díoltais i gcroí mná, tá an lasóg sa bharr-
ach ansin agat ar fad. Cad mar gheall ar
Holmes bocht? Bhí an bhunóc theolaí mná
seo díbeartha anois aige, cá bhfaigheadh sé
duine le dul ina háit? Mar, luath nó mall,
cuma cé bheadh thíos leis, chaithfeadh sé
duine éigin a fháil leis na bráillíní a théamh
dó nuair a bheadh na hoícheanta ag éirí fuar.

NA CONNERYS

Amach leis. Soilse ar an gcathaoir, an tiarna
ina shuí, Caedach síos suas ag caint

CAEDACH

Ní raibh aon dul as agat, a thiarna! Mhaslaigh
sí thú. Sin rud ná ceadóinnse, mo thiarna á
mhaslú! Mise á rá leat gur chuir mise an ruaig
uirthi.

HOLMES

Chuir tusa an ruaig uirthi! (*Ag screadach*)
Bhuel, faigh ar ais dom í!

CAEDACH

Ach cheap mé, thuig mé, a thiarna, gurbh é
sin a bhí uait!

HOLMES

Ise atá uaim. Anois! Bhí sí beo, gol agus gleo
nuair a bhíodh sí ag tosnú ar a hobair . . .
aimsire, ach, a Dhia, conas mar a bhailigh
sí chuici i mbun gnímh! Cé bheas ina cailín
anois agam? Tusa? Uuh (*Ar tí imeacht*)!

CAEDACH

Dá mbeadh cead labhartha agam, a thiarna.

NA CONNERYS

Bhuel?

CAEDACH

D'fhéadfainnse cailín eile a chur ar aimsir
leat.

HOLMES

Cailín eile?

CAEDACH

Tabhair seans dom. Níor chlis mé fós ort.
Measaim go mbeadh an tiarna sásta leis an
aimsir a dhéanfadh an cailín seo.

HOLMES

Óhó, is cladhaire tú ceart go leor, rinne mé an
rud ceart nuair a cheap mé tusa. Bhfuil sí óg?
Bhuel, abair liom! Ní maith liom iad ró-óg.
Sceitimíní, a dhuine, bíonn siad giodamach.
Mar a bheadh gearrán, ní mór an fuip a imirt
orthu! Deas socair, sin an chaoi. De réir a
chéile. Éirí is titim de réir mar a bhíonn
an . . . marcach . . . á tiomáint! Cé hí? Ach an
mbeidh sí sásta? Ní bheidh aon mhaith léi
mura mbíonn sí sásta.

NA CONNERYS

CAEDACH

Ar ndóigh, beimid in ann í a bhréagadh.
Beagán anseo, beagán ansiúd, díreach lena
dúil san . . . aimsir a bhogadh!

HOLMES

Óhó, is maith liom do nós labhartha, a
bháille. Beidh breis ar an gceatadán duitse ag
deireadh na ráithe. Cá bhfuil sí, tabhair leat í
go dtriailfimid a cumas . . . aimsire!
*Múchtar soilse. Amach le Holmes agus
Caedach. Lastar soilse ar teach Shiúin. A
máthair ag déanamh aráin. Isteach Caedach*

BAINTREACH

Íosa Críost dár gcumhdach, seo chugainn an
báille nua.

CAEDACH

Anois, anois, a bhaintreach, ní hé an t-ain-
sprid ar fad mé, ní dhearna mé aon dochar
duitse.

BAINTREACH, *ag gearradh fíor na croise*
uirthi féin

Tá fáilte romhat, a dhuine uasail, bhain tú
geit asam.

NA CONNERYS

CAEDACH

Seo, seo, níl aon ghá le heagla má dhéanann
tú rud orm. Is fear bruidiúil mé, ní mór dom
deifir a dhéanamh. Tá muirín mhór anseo
agat?

BAINTREACH

Ó, go bhfóire Dia orm, a bháille, tá agus
muirín. Seisear gearrchaile, triúr buachaill,
go bhfóire Dia ar dhaoine bochta!

CAEDACH

An iníon is sine agat . . .

BAINTREACH

Cad ab áil leat di?

CAEDACH

Bheadh sí in inmhe dul ar aimsir? (*Isteach
Siún.*) Nuair a chruann ar an gcailleach
caithfidh sí rith. Tá áit dheas agam di.

BAINTREACH

Cén áit, a bháille?

CAEDACH

Teach an Tiarna Holmes.

NA CONNERYS

SIÚN

Ní rachaidh sí ann.

CAEDACH

Cén gnó atá agatsa anseo! Cladhairín cúl-
dorais is mé ag caint le do mháthair,
amach leat go beo.

SIÚN

Ní rachaidh mé ann, a deirim.

CAEDACH

Seo, a bhean, is mé an báille. Táim i dteideal
umhlaíocht a fháil, cuir amach í.

BAINTREACH

Bí i do thost, a thaisce, sé an báille é.

SIÚN

Ní rachaidh mé leis.

CAEDACH, *aithníonn sé an scanradh uirthi*

Seo anois, a chailín, bean stuama is ea do
mháthair, ní dhéanfadh sise aon dochar duit.
(*Leis an máthair*) Bheadh sí deas compordach
thuas ansin.

GNÍOMH II   61

NA CONNERYS

SIÚN

I leaba an tiarna!

CAEDACH, *an fuip á hardú chuici*

As mo bhealach a bhean, múinfidh mé béasa don scubaid seo d'iníon agat!

BAINTREACH

Fan amach uaithi...Cad tá á rá agat, a chailín?

SIÚN

Gur mar seo a mheall siad Nan Thomáis. Gur mar seo a chuir siad ina striapach ar shráideanna Phort Láirge í!

CAEDACH

Tá tú á rá seo i láthair an bháille, a chailín. Má tá tú óg féin, ní hé do leas a thiocfaidh de seo!

BAINTREACH

Tá ár gcíos íoctha, ní féidir leat faic a dhéanamh orainn.

NA CONNERYS

CAEDACH

Íoctha nó i bhfiacha, beidh sibh amuigh as seo
i bhfaiteadh na súl mura dtagann sí liom.

SIÚN

Ní rachaidh mé leat.

CAEDACH

Agus tusa? Is tusa a máthair. Cad deireann
tusa?

BAINTREACH

Ní rachaidh sí leat.

CAEDACH

Tá go maith. Bíodh do rogha agat ach is dána
an bhean tú, rud nach n-oireann do do
leithéid! Nuair a theastaíonn seirbhís ó mo
mháistir, féachfaidh mise chuige go
bhfaighidh sé í.

   Amach leis, múchtar soilse ar theach na
   baintrí, lastar ar theach an tiarna iad

HOLMES

Bhuel? Cá bhfuil sí?

NA CONNERYS

A Thiarna Holmes, a dhuine uasail, is eagal
liom . . .

HOLMES

Is eagal leat! Is eagal leat i gcónaí! Pé rud a
iarraim ar dhaoine, is eagal leo é! Tinn tuir-
seach atáim den chaint seo. Cá bhfuil sí?
Dúirt tú go mbeadh cailín leat, cá bhfuil sí?

CAEDACH

Deir sí nach dtiocfaidh sí chugat.

HOLMES

Bitseach! Pit spailpín, cé dúirt léi go mbeadh
cead aici rud ar bith a rá? Tá an saol trína
chéile acu, Ribbonmen, Whiteboys, lán sciob-
óil ag dul le gaoth san oíche, sin toradh
do chead cainte! Cén fáth nach dtiocfaidh sí?

CAEDACH

Tá eagla uirthi, a deir sí.

HOLMES

Romhamsa? Ní gá di aon eagla a bheith uirthi
romhamsa. Ní déanfaidh mise faic léi nach
dtaitneoidh léi.

NA CONNERYS

CAEDACH

Sin an eagla atá uirthi!

HOLMES

A Íosa Críost in airde, a leithéid de thír!
Dhiúltaigh sí, an ea? Tá go maith, neosfaidh
mise di cad is diúltú ann. Cuirfidh mise
smacht orthu! Múinfidh mé dóibh cad is
tiarna talún ann. Ná bí i do sheasamh ansin,
ar aghaidh leat, tá beag-ní déanta de thoil an
tiarna, is báille tú—díshealbhaigh iad!

CAEDACH

Anois?

HOLMES

Láithreach! Ar aghaidh leat, cén mhoill atá
ort? Déanfaidh mé féin é. Sea, le mo lámha
féin, tabhair cabhair gharda chugam agus
tarraingeoidh mé an crann anuas orthu, go
mbeidh a gcuid prátaí lofa brúite le puiteach
an urláir. B'fhéidir go dtiocfadh sí ansin?
Ha? Bhuel?

CAEDACH

Luaigh sí Nan Thomáis, a thiarna. Chonaic sí
í—an lá sin.

NA CONNERYS

Aye, Nan! B'shin cailín! Thuig sise cad ba
sheirbhís ann! . . . (*Tá an fear bocht cráite cheal
mná!*) Ní mór dom bean a bheith agam, a
bháille. Láithreach bonn! Ar thriail tú air-
gead!

Punt sa bhliain!

Cén sórt gaimbín atá ionat? Cén fáth nach
gine a dúirt tú? Tá sé níos uaisle, níos
gairmiúla.

Ní dóigh liom go meallfadh aon rud í.

Tiocfaidh sí. Mise an t-aon duine amháin an-
seo thart a bhfuil cead eiteachais den sórt sin
aige. B'fhéidir go bhfuil an domhan mór
trína chéile ach tá smacht fós ar an áit seo.

B'fhéidir nach mbeadh sé chomh héasca sin

ar fad, a thiarna. Tá lámh is focal idir í agus
buachaill de chuid na háite.

HOLMES

Tionónta?

CAEDACH

Duine de na Connerys.

HOLMES

Díshealbhaigh iad siúd chomh maith.

CAEDACH

Níl rud ar bith ab fhearr liom, ach . . .
b'fhéidir go dtógfadh sé leis í?

HOLMES

Gan feoirling ina phóca? Cá rachaidís?

CAEDACH

Go Meiriccá. Tá cuid acu imithe cheana,
luach a bpasáiste á íoc ag a gcuid gaolta thall.
Ach b'fhéidir go bhfuil bealach lena dhéan-
amh mar sin féin.

NA CONNERYS

HOLMES

Labhair leat, a chladhaire, cén plean atá agat anois?

CAEDACH

D'fhéadfadh sí pósadh.

HOLMES

Liomsa?

CAEDACH

Ní hea, liomsa.

HOLMES

Ach cac an diabhail ort, is mise atá ag lorg mná, ní tusa.

CAEDACH

Sea, ach bheadh sí agat—ansin.

HOLMES

Bheifeá sásta í a scaoileadh chugam?

CAEDACH, *ag téamh chuige anois*

Ó bímis sibhialta, a thiarna! Is fir sinn, is duine uasal tusa, níl ionamsa ach duine bocht—ach tuigim an saol mar sin féin.

Ní mór do dhaoine uaisle a bheith sibhialta, sofaisticiúil lena chéile. Ní ar an ngnáth-bhealach tuatach is cóir dár leithéidí scornach duine a ghearradh nó bean a fháil. Ar an gcéad dul síos, díshealbhaigh na Connerys, tá an nimh san fheoil acu sin duit.

HOLMES

Agus ansin?

CAEDACH, *is Iago ceart é faoi seo*

Ba leor sin. A n-áit siúd domsa—dom féin . . . agus do mo bhean! Tá sé sách gar don áit seo agatsa le go bhféadfá . . . súil a choimeád air, súil a choimeád uirthi, na laethanta—na hoícheanta—nuair a bheinnse ag bailiú cíosa as baile. Cad déarfá leis sin?

HOLMES

Ní bheifeá ag imirt claon orm?

CAEDACH

Nílim á dhéanamh ach le sásamh a thabhairt do mo thiarna. Ar ndóigh, bheinn ag súil nach mbeifeá ródhian ar fad uirthi. Tar éis an tsaoil, ba mise an fear céile, bheinn i dteideal rith an ráis a fháil chomh maith leat féin.

Tar éis dom, mar a déarfá, an diallait a chur uirthi!

Beidh sin agat, a bháille, agus mo lámh air. Cé chomh luath is féidir leat an each seo a thabhairt ag an altóir?

CAEDACH

Cuirimis ar bhealach eile é. Cé chomh luath a ba mhaith leatsa í a thabhairt ag an leaba?

HOLMES

Seo, peann is pár, beidh na Connerys ar an mbóthar anocht.

Amach leo; múchtar soilse, amach le cathaoir
Holmes; soilse ar chistin na baintrí. Cloistear
trup capaill ar sodar

BAINTREACH

Ó a Chríost a rí, tabhair fortacht dúinn, seo chugainn ar ais é!

SIÚN

Ní scaoilfidh siad liom. Cad a déarfaidh tú?

NA CONNERYS

BAINTREACH

Mar atá ráite. Nach scaoilfear thú i gcoinne do thola. Seo leat, b'fhearr gan tusa bheith istigh.
Téann Siún amach. Isteach Caedach

CAEDACH

Dia anseo isteach. Ag dul thar an doras a bhí mé agus rith sé liom maidir leis an ngnó beag sin inné . . .

BAINTREACH

Níl aon rud eile le rá faoin ngnó sin, a bháille!

CAEDACH

Á, anois ná bí rótheasaí! Ní mó ná sásta a bhí an Tiarna Holmes leat. Ó ní raibh sé sásta in aon chor. Ní gach aon chailín a fhaigheann seans mar sin. Ach d'éirigh liomsa cruth a chur air: 'Sin an óige, a Thiarna Holmes, a dhuine uasail,' arsa mise, 'ní mór cead a gcinn a thabhairt dóibh! Ar ndóigh, is cailín breá bláfar í,' a deirim, 'níl á lorg aici ach an rud atá ag gach aoinne eile, gabháltas beag dá cuid féin, fear maith, scata leanaí.'

NA CONNERYS

Agus an ceart agat ansin, a bháille.

CAEDACH

Cinnte tá an ceart agam. Nach bhfuil a fhios agam go maith cad tá uaithi. Nach fear mé féin!

BAINTREACH

Ar ndóigh, tá buachaill deas aici féin, a bháille, tá sí luaite leis.

CAEDACH

Connery! An amhlaidh a bheifeá sásta leis sin? Cailín breá dathúil mar í? Gaigín nach bhfuil faic aige—thar mar atá agat féin? Cén sórt saoil é sin do chailín óg? Fear maith atá uaithi siúd, a bhean, fear fiúntach. Fear ná beadh ag brath ar chúpla acra—agus ormsa, ar eagla go gcuirfinn as seilbh é.

BAINTREACH, *scanradh uirthi*

Mar sin atá an saol ag daoine bochta, ní mór dúinn a bheith sásta. Níl ach a cineál féin ar aithne ag mo chailínse, níl aon dul aici tharstu.

NA CONNERYS

Nach bhfuil aithne aici ormsa?

BAINTREACH

Tusa? Cén bhaint a bheadh agatsa leis an scéal?

CAEDACH

An-bhaint, dá mba thoil leat é.

BAINTREACH

An amhlaidh atá tú a rá liom go . . .

CAEDACH

Sin atá á rá agam. Ghlacfainn léi mar bhean chéile, dá mba thoil leat é.

BAINTREACH

I gcuntas Dé, a bháille, tá mé trína chéile agat!

CAEDACH

Bhuel! Cad deireann tú? Is fear gnóthach mé, ní mór dom freagra a fháil.

BAINTREACH

Níl a fhios agam beo ná beirithe cad tá le rá.

NA CONNERYS

Cad tá le rá agat ach go ndéanfaidh sí do
thoilse? Tuigeann tusa mo chás—fear a
bhíonn de shíor ag gluaiseacht, anseo inniu,
ansiúd amárach, ní mór dó áit dá chuid féin a
bheith aige, bean agus clann le filleadh orthu
is é tuirseach tar éis obair an lae. Nach bhfuil
an ceart agam?

BAINTREACH

Níl aon bhréag agat ansin, a bháille. Ach níor
cheap mé riamh gur duine den sórt sin tú.

CAEDACH

Sea, sin an cor is measa ag an mbáille. Ní
duine daonna tú ar nós an ghnáthdhuine! Ó,
is fear mé ceart go leor, fear mar aon fhear
eile . . . Féach, bheadh sí teolaí liomsa. Ná ní
bheifeá féin go holc as. Cén cíos atá ort anois?
Scór punt sa bhliain? Cad déarfá le—faic?

BAINTREACH

Chaithfinn é phlé léi.

CAEDACH

Ó cén plé? Tá an tír millte agaibh, é phlé

murar mhiste leat, girseach atá ar éigean in aois na céille! Nach tú a máthair, nach ndéanfaidh sí do thoil?

BAINTREACH

Ní mór dom smaoineamh air, a bháille, ba mhór an chéim í.

CAEDACH

Rómhór d'bhur leithéidí b'fhéidir! Féach, a bhaintreach, tá tú ag dul dian ar mo chuid foighne. Fear cneasta mé ach ná cuirtear olc orm . . . Tá mé ag dul as an bparóiste ar feadh cúpla lá ag bailiú cíosa sna tailte ó thuaidh. Tá uair a chloig agat. Bí ag an droichead, beidh mé ag fanacht. (*Exit. Isteach Siún*)

SIÚN

Ní scaoilfeá liom?

BAINTREACH

Ná bí do mo bhodhradh, a chailín, tá ochtar eile sa teach seachas tú, cheapfadh aoinne nach raibh ar m'aigne ach tusa amháin.

NA CONNERYS

Ní dó féin ach don tiarna atá mé ag teastáil
uaidh. Is cleas é.

BAINTREACH

Seo, seo, seo anois, a chuid, ná tóg orm é má
táim buille giorraisc inniu. Táim cráite ag an
saol, tuigfidh tú fós é. Níl aon eolas agatsa
faoi na nithe seo. Fág faoi do mháthair é,
déanfaidh mise an rud ceart.

SIÚN

Agus Nan Thomáis?

BAINTREACH

An amhlaidh a cheapann tú nach bhfuil aon
eolas agamsa faoina leithéid? Cén sórt
seanóinseach a bheadh ionam is mé i mo
chónaí ar thalamh an Tiarna Holmes ar
feadh mo shaoil? Ach ní ionann an dá chás.
Geallúint pósta é seo. Ghlacfadh sé ar láimh
thú ar an altóir, i láthair sagairt agus Dé.

SIÚN

Ní rachainn leis dá mb'é mo bhás é.

NA CONNERYS

Ach bheifeá i do bhean aige, an báille, an fear
is mó rachmas sa dúiche. Gan gorta ná gá ná
síorsracadh leis an saol ocrach níos mó . . . An
é Connery óg atá ag cur as duit? An é sin é?
Cuir uait é mar scéal, a chailín, is beag bean a
phósann a rogha fir ar an saol bocht atá
againne. Grá, an ea? Neosfaidh mise duit
faoin ngrá. Naonúr páiste ag stánadh ort ó lic
an tinteáin is gan greim sa phota agat le
tabhairt dóibh, sin an grá! Do chosa ina gcnap
oighre lá feanntach fuar tar éis deich míle
bóthair a shiúl go dtí an baile mór le leath-
phingin a spáráil, sin an grá! Ó, ná bíodh aon
dul amú ort, a chuid, ní fada a mhaireann an
grá ar an saol ocrach atá againne. Cuir umat
do sheál, tá an báille ag feitheamh.

SIÚN

Ní rachaidh mé leat.

BAINTREACH

Seo, do sheál!

SIÚN

Mise atá ag imeacht. As an mbealach, a

mháthair, nílim ag dul leat. (*Caitheann sí a
máthair i leataobh, agus amach léi. Múchtar
soilse. Ansin, soilse ar chistin na gConaireach. Is-
teach Séamas leis an ngunna a fháil, Seán ina
dhiaidh*)

SEÁN

Cuir uait é.

SÉAMAS

Chuir tusa stop liomsa cheana ach ní
dhéanfaidh tú anois é. Cuirfidh mé deireadh
leis an mbastard an uair seo. (*Seán ag déanamh
air*) Fan amach uaim, ní bhaineann sé seo
leatsa.

Isteach Siún

SIÚN, *ag dul roimh Shéamas*

Cuir uait é. Impím ort ar son Dé! 'Sheáin,
maróidh sé é, cuirfear ar an gcroch é, cuir
stop leis.

SÉAMAS

Ní chuirfidh Seán ná aoinne eile stop liom.

SEÁN

Cuir síos é sin! . . . Cuir síos é. (*Tuin bhagrach*

78

ar a glór; an gunna fós ina láimh ag Séamas ach
aithníonn sé an bhagairt.) Tá an báille ar do
lorg (*le Siún*)?

SIÚN

Tá a fhios agamsa cén fáth a bhfuil sé ar mo
lorg. Tá a fhios agatsa. Cuimhnigh ar Nan
Thomáis!

SÉAMAS

Scaoil amach mé!

SEÁN

Fan! . . . Do mháthair? Cad tá le rá aici?

SIÚN

Go bhfuil ochtar eile sa bhaile. Go mbeadh
talamh gan cíos aici. An bhean bhocht, cad is
féidir léi a rá?

SEÁN

Scaoilfeadh sí leat más ea?
Comhartha ó Shiún

SÉAMAS

Scaoilfeadh. Mar a scaoilfeása. Mar atá gach
aoinne ag scaoileadh le gach aon rud. Eagla

atá oraibh. Eagla roimh ghníomh grod
amháin a shocródh é. Leis seo (*an gunna*).
Eagla atá ortsa anois. Ach níl aon eagla
ormsa. Níl, ná eagla. Níl orm ach fíoch agus
fuath agus rún daingean i mo chroí nach
bhfaighidh mé scíth ná faoiseamh go
gcuirfidh mé piléar trína chroí. Fan, fan go
bhfeicfidh tú, a Sheáin Connery, a chinn
teaghlaigh na gConaireach! Ní fada eile go
mbeidh sé chugatsa. Cad a dhéanfaidh tú an-
sin? Gan lámh ná ladhar a chur ann? An áit a
ligean leis gan fiú buille a bhualadh?
Meatachán! Fear síochánta a ligfeadh don
saol mór satailt ort gan buille a bhualadh! Sin
Éire duit, sin pór agus meon an sclábhaí,
síocháin i gcónaí cuma cén praghas.

SEÁN

Cá bhfuil sé?

SIÚN

Tá sé ag an droichead. Dúirt sé go bhfanfadh
sé orainn ansin.

SEÁN, *cuireann sé seál Shiúin ar Shéamas,
seál a mháthar air féin. Sciobann sé an
gunna ó Shéamas*

80   GNÍOMH II

NA CONNERYS

Beidh beirt bhan chuige anois agus gheobh-
aidh sé freagra ceart to leor!

Múchtar na soilse. Lastar ar Scéalaí iad

SCÉALAÍ

Cén fáth a bhfuil sé á dhéanamh? Fear stuama
críonna, fear atá mall chun gnímh? Tá a stair
le scríobh aige. Mar atá agatsa, agamsa—níl
aon dul as. Ar ndóigh, ní trí sheans a tharla sé
seo ar fad. B'fhéidir gurb í sin an chuma atá
air: Séamaisín Connery ar tí an báille a
lámhach, an cailín bocht sin aige ar tí dul an
bealach céanna a ndeachaigh Nan Thomáis—
ach, an amhlaidh ná féadfadh Seán stuama
Connery aon bhealach eile a fháil seachas an
gunna leis an bhfadhb a réiteach? An stair, a
dhuine, ní mór í chomhlíonadh. Meas tú ar
chuala sé faoi Aodh Rua ag Cath Chionn
tSáile? Fear foighneach a chaith tríocha bliain
ag cruinniú nirt leis na Sasanaigh a
ruaigeadh—agus a chaith an t-iomlán uaidh
in aon oíche amháin. Conas? Cén fáth ar
tharla sé sin? Fiafraigh de Sheán Connery!
B'fhéidir go gceapann sé nach bhfuil aon
bhaint aige lena scéal féin ach tá. Ní raibh aon
dul as aige, sin an bhaint. Rinne sé an rud a
bhí i ndán dó. Fan anois go bhfeicfidh tú. Ach

cuimhnigh ort féin, a dhuine, ná lig do leas ar cairde, d'fhéadfadh a leithéid seo a tharlú duitse.

Exit Scéalaí agus múchtar soilse. Stáitse dorcha ach léas lag solais ar Chaedach ag siúl síos suas in aice an droichid. Isteach Seán agus Séamas, na seálta go sáil orthu

CAEDACH

Bhuel, a bhean, cén scéal atá agat dom? (*Caitheann Seán an seál de.*) Connery!

SEÁN, *an gunna ina láimh*

Bí ag rá do chuid paidreacha.

Is beag suim atá ag Séamas ina anam. Sciobann sé an gunna ó Sheán agus scaoil-eann. In ionad urchar a bháis, is puth lag é as gunna seanchaite! Níl an t-am aige lena athlíonadh; ritheann Caedach ach tá siad rómhear dó. Raic, eascainí, bataráil. B'fhéidir go mb'fhearr na soilse a mhúchadh ar fad leis an bpléascadh, agus fuaim a chur ar théip? Tríd an ngleo cloistear guth Chaedaigh, láidir i dtosach, ansin ag dul i laige

NA CONNERYS

CAEDACH

Cabhair! Cabhair! A Phaoraigh! Éamon
Paor!

SEÁN

Slán sa bhaile, ní chloisfidh seisean thú!

CAEDACH

Ar son Dé!

SÉAMAS

Dia is diabhal ad thachtadh, a bhastaird, ní
thiocfaidh aoinne i gcabhair ortsa nó is dó is
measa.

*Trup trom ar stáitse ag deireadh, Caedach
ag titim, tarraingt a anála ag dul in éag.
Scoilteann strapa a mhála cíosa san iom-
rascáil, cloistear cling an airgid ar an tal-
amh*

SEÁN

Isteach leis faoin droichead. Seo, bí beo, beir
greim air, béarfaidh mise ar a chosa. (*Tá sé
laistiar den droichead acu.*) Anois, bailigh na
seálta, an mála.

NA CONNERYS

SÉAMAS, *an mála ina láimh aige*

A Íosa Críost, tá na céadta punt ann!
Féachann Seán ann, ansin caitheann i
ndiaidh an bháille é

SEÁN

Airgead fola!
Cloistear 'Na Connerys' ar an taifeadán,
an chéad véarsa, 'A Chuimín Mhallaithe.'
Lena linn seo, isteach Cuimín. De réir mar
a thagann sé i dtreo an droichid, tagann
lámh Chaedaigh aníos, sleamhnaíonn siar,
tagann athuair, beireann greim ar an leac.
Ainneoin fuil etc., etc., is mó de ghreann ná
d'uamhan a fheictear sa radharc seo. Seilide
de dhuine is ea Cuimín; tá an eagla, saint,
éadtrócaire is uile atá ann le linn an radh-
airc seo ag teacht leis an mbunsuarachas sin

CUIMÍN

Áaaaaah!

CAEDACH

Ar son Dé . . .

CUIMÍN

Tá sé beo!

GNÍOMH II

NA CONNERYS

CAEDACH

Cabhair, ar son Dé!

CUIMÍN

Tá sé ag labhairt! (*Druideann sé in aice le láimh Chaedaigh, cuireann a shrón síos mar a dhéanfadh ainmhí leis an mboladh a fháil, ansin leagann barr a mhéire ar an láimh. Preabann an lámh ina threo, léimeann sé siar.*) Áaaaah! (*Scanraíonn rian na fola ar a láimh féin é, scéin air á ghlanadh.*) Fuil! . . . Déarfaidh siad gur mise a rinne é!

CAEDACH

Cé tá ann?

CUIMÍN, *ag féachaint timpeall air*

Níl aoinne ann!

CAEDACH

Táim ag fáil bháis.

> *Cuimín ag dul i ngar dó arís, fiosracht agus scéin ag coimhlint lena chéile ann*

CUIMÍN

Tá lámh aige! . . . Bhfuil níos mó ná lámh aige?

NA CONNERYS

CAEDACH

Ó-ó-ó!

CUIMÍN

Tá guth aige! (*Faoi dheireadh cuireann a cheann thar leac an droichid.*) A Íosa Críost! ... Slán (*Ag imeacht*)!

CAEDACH

Ar son Dé. Cabhraigh liom!

CUIMÍN

Cabhair! Duine bocht mar mise! Ní fhéad-fainnse aon chabhair a thabhairt duit! ... Slán! Go n-éirí an ... sruthán leat!

CAEDACH

Tá airgead agam.

CUIMÍN

Ha? Ha—Airgead?

CAEDACH

Gabh i leith!

NA CONNERYS

CUIMÍN, *a cheann thar an droichead*

Más ualach anuas ort an mála, bainfidh mé díot é!

CAEDACH

Seo, do lámh, beir greim . . . (*A lámh amach aige, leis an mála. Sciobann Cuimín é*)

CUIMÍN, *ag stánadh ar a bhfuil ann*

A Íosa Críost! (*Isteach Nan Thomáis laistiar de.*) Tá sé lán! Na céadta!

NAN

Cuimín!

CUIMÍN, *léimeann sé nuair a labhraíonn sí*

Áaaaah!

NAN

Sin mála an bháille.

CUIMÍN

A—a—thug sé dom é.

NAN

Agus céard a rinne tusa air le go ndéanfadh an duine uasal gar mar sin duit?

NA CONNERYS

CAEDACH, *laistiar fós*

Cabhair, ar son Dé!

NAN

Á! Francach uisce! (*Ag féachaint síos*) Bhí sé
seo ag dul duitse, luath nó mall chaithfeá é
fháil. (*Le Cuimín, beagmheasúil*) Ní féidir gur
tusa a rinne é?

CAEDACH

Na Connerys, an bheirt acu!

CUIMÍN, *ar bís arís le fiosracht*

Ahá? Cén scéal é seo! Séamaisín Connery,
le do ghunna deas seoigh is do dheartháir
uaibhreach a mhaslódh daoine! Cén scéal é
seo fúibh? Tuigimid anois cén sionnach a bhí
ar an sliabh!

NAN

Ní thuigeann tusa faic! Ná níor chuala tú faic.
Níl aon Chonnerys anseo, ach tá tusa anseo.
Agus tá mála an bháille i do láimh agat.

CUIMÍN

Níl! Nílim anseo, anois díreach a thánas.

NA CONNERYS

Chonaic mise thú, cuimhnigh air sin. Is finné mé. Fear ag fáil bháis, cé mharódh é ach an té a bhí ar tí teitheadh uaidh . . . lena chuid airgid! (*Scéin ar Chuimín, ach saint san airgead, freisin. Lámh in uachtar ag an scéin. Caitheann an mála uaidh agus teitheann. Tógann Nan an mála. Ansin, thar an droichead, le Caedach*) Trua gur bean mé, chríochnóinn obair na gConnerys dóibh. Bailigh leat anois, táimse ag dul chucu. Bí ar shiúl as seo sula gcloisfidh siad go bhfuil tú beo.

Brat

DEIREADH GNÍMH II

GNÍOMH III

An tábhairne. Caoirigh agus fearaistí na gConaireach ar ceant, an ceantálaí (i.e. fear an tábhairne) ag greamú an bhille díol-acháin don bhalla. Comhluadar istigh, Paor, Cuimín, daoine eile. Cuimín tagtha chuige féin, cathú anois air faoin sparán airgid a chaith sé uaidh. Ní bheidh sé sásta go bhfaighidh sé ar ais é

CUIMÍN, *ag léamh*

Ocht scór caorach, bó, uirlisí feirme—dhera, cé tá ag imeacht uainn in aon chor a bhfuil an oiread sin de mhaoin an tsaoil acu.

GUTH 1

Cé eile ach na Connerys!

GUTH 2

Murab é nach raibh a fhios aige!

CUIMÍN

Dhár dtréigean? Na Connerys? An fíor é seo, a fhir a' tí?

90

NA CONNERYS

Fíor agus faraoir, a Chuimínigh, tá na Connerys ag imeacht. Lock, stock and barrel!

CUIMÍN

Á, nach é an trua é! Buachaillí cneasta, beirt chomh haerach leo! Nach é an trua é! Arbh eol duitse é seo?

PAOR

Cuireann tú iontas orm, a Chuimínigh, go bhfuil an oiread sin meas agat orthu!

CUIMÍN

Á, bhuel, tá. Mhuise, conas ná beadh? Nach bhfuil an áit sách duairc cheana féin, gan a bhfuil de dhaoine óga againn a bheith ar shiúl! Chuir siad beocht sa saol. Sea, buachaillí deasa, bail ó Dhia orthu! Ní fheadar anois cén fáth a bhfuil siad ag imeacht?

FEAR A' TÍ

Cíos, a dhuine—rud ná tuigfeása.

PAOR

Ná dúirt mé go mbeadh an báille ina ndiaidh

faoin gcoimín sléibhe? Ocht scór caorach, a dhuine, níl aon bháille chun scaoileadh leo sin.

CUIMÍN

Agus cogar anois, a Éamoin Paor, ós rud é gur duine muintire leis an mbáille céanna tusa, meas tú an amhlaidh a bhí sé ag bagairt rud éigin orthu le go mbeidís ag rith uaidh mar seo?

PAOR

Rud éigin? Ná labhrófá go soiléir, a dhuine, seachas a bheith ag sliobarnaíl mar sin? Cén sórt rud éigin atá i gceist agat?

CUIMÍN

Bhuel, cuir i gcás, díshealbhú?

PAOR

Ní dúirt sé faic faoi dhíshealbhú liomsa arú inné nuair a bhí sé ag dul ag bailiú cíosa sna tailte ó thuaidh.

CUIMÍN

Á, tá sé imithe, an bhfuil? Tá sé sin suimiúil anois. Agus beidh sé imithe go ceann tamaill

NA CONNERYS

más ea? Sea, tá sé sin suimiúil. Beidh na
Connerys bailithe leo as an áit, más ea, sula
bhfillfidh sé? Sea, tá sé sin suimiúil ceart go
leor.

FEAR A' TÍ

Bhuel, má tá suim agatsa ann, níl le déanamh
agat ach céad punt a chur ar an gcabhantar
agus is leatsa an t-iomlán!

CUIMÍN

Ó, mhuise, a fhir a' tí agus mo léan ar do
cheann, ach cá bhfaigheadh mo leithéidse
céad punt? Fear bocht gan suíomh ná sealbh
aige, cá bhfaigheadh seisean céad punt?...
Mar sin féin, ba dheas an áit bheag í don té a
gheobhadh í! Sea, ba dheas an áitín í ceart go
leor!

Múchtar soilse ar an tábhairne; ceol mar
eadarlúid fad atá an stáitse á ghlanadh.
Lastar soilse ar chistin na gConaireach, is-
teach Cuimín ar Shéamas

CUIMÍN

Á, a Shéamaisín Connery, a bhuachaillín
seoigh, tá tú id aonar ansin! Agus nach bocht
an scéal é seo a chloisim fúibh?

NA CONNERYS

SÉAMAS, *preabann sé; tá an rún aige?*

Cén scéal?

CUIMÍN

Á, cén scéal ach an drochscéal, go bhfuil sibh ag imeacht?

SÉAMAS

Ó! Sea, is bocht an scéal é ceart go leor ach níl aon dul as!

CUIMÍN

Éist leis! Gan aon dul as! Cheapfadh aoinne gur isteach go baile Dhún Garbhán a bhí sibh a dul! An báille is dócha? (*Tá Cuimín ag baint taitneamh as seo, a fhios aige go bhfuil siad gafa sa líon aige agus gur féidir leis é imirt pé bealach is mian leis*)

SÉAMAS, *ag léim air*

Cad mar gheall ar an mbáille?

CUIMÍN

Anois, anois, anois, a Shéamais Connery, níl aon ghá leis sin! Tuigim go mbeifeá buartha faoi imeacht, faoi bheith ag fágáil d'áit

dúchais i do dhiaidh, agus an cailín beag deas
sin de mhuintir Thóibín agat—ach ní gá duit
a bheith á agairt ar fhear cneasta mar mise!
Tar éis an tsaoil, níl agamsa ach ar chuala mé.

SÉAMAS, *greim aige air*

Abair leat! Cad a chuala tú?

CUIMÍN

Bhuel, déanta na fírinne, tá sé cloiste
agam . . .

SÉAMAS, *á thachtadh*

Sea?

CUIMÍN

Tabhair seans dom.

SEÁN, *ag teacht isteach*

Scaoil de! (*Scaoileann*)

CUIMÍN

Tá sé cloiste agam . . . go bhfuil sé marbh
agaibh. (*Léimeann Séamas air.*) An sionnach, a
Shéamais! Céard tá ortsa, a bhuachaill, ní
féidir le duine labhairt leat anocht!

NA CONNERYS

SEÁN

B'fhearr duitse bailiú leat as seo, níl aon fhonn comhluadair orainne.

CUIMÍN

Ar ndóigh ní bheadh. Conas a bheadh—agus tuirse oraibh tar éis daoibh an bhrúid a mharú?

SÉAMAS, *deireadh foighne aige, greim scornaí aige ar Chuimín*

Féach, a Chuimínigh, tá bastardaíocht éigin ar bun agatsa agus ní maith liom é. Glan leat go beo as seo anois nó marófar tusa!

CUIMÍN

Agus is sibhse a bheadh in ann dó! Ach cogar anois, a Shéamaisín, nach mbeadh sé sin andainséarach? Mise a mharú an ea? Tá mé tar éis a rá sa tábhairne gur anseo a bhí mo thriall. Cad a tharlódh mura dtiocfainn ar ais? Ní fhéadfaí a rá gur sna paróistí ó thuaidh a bhí mé, ag bailiú cíosa.

SEÁN, *eisean anois atá corraithe*

Amach leis, a sheilide. Cén t-eolas atá agat?

NA CONNERYS

A dhóthain le sibhse a chur ar an gcroch
maidin amárach, dá mba mhian liom é.

SÉAMAS

Lig dom, a Sheáin, blaisfidh an cunús féin de
i dtosach!

SEÁN, *ag dul eatarthu*

Bhfuil an scéal seo ag aoinne eile?

CUIMÍN

Níl, go fóill. Ach beidh mura . . .

SEÁN

Sea?

CUIMÍN

Mura mbíonn sibhse níos . . . ciallmhaire.

SEÁN

Cé mhéad?

CUIMÍN

Tú tá aibí, a Sheáin Connery! Tá tú . . .
réalaíoch. Is maith liom sin. Is maith liom

fear a thuigeann an saol! . . . Beidh an stoc ar
ceant Dé hAoine. Cé mhéad is fiú é?

SÉAMAS

Níos mó ná mar tá agatsa a sheilide! Céad
punt ar a laghad.

CUIMÍN, *a lámh amach aige*

Díol na beirte agaibh. Ba bheag an méid é.

SÉAMAS

'Chríost, a Sheáin, scaoil díom, nílim chun
éisteacht leis an bpéistín gránna.

SEÁN, *le Cuimín*

Beidh sé agat!

CUIMÍN

Roimh ré! Ní chreidfí duine bocht mar mise
ag ceant gan an t-airgead a bheith i gcroí mo
dhearnan agam.

SEÁN

Beidh do chuid airgid fola agat! Glan leat go
beo as seo agus tabhair do bholadh bréan
leat! (*Amach Cuimín*)

NA CONNERYS

A Íosa Críost, a Sheáin, cén fáth ar ghéill tú
dó? Bheadh a bhéal dúnta agam dá ligfeá
dom.

SEÁN

Agus an scéal ar fud an pharóiste ar maidin?

SÉAMAS

Cá bhfios nach bhfuil sé ar fud an pharóiste
cheana?

SEÁN

Agus céad punt caillte aige? Is róluachmhar
an rún é! Coimeádfaidh sé sin snaidhm ar a
theanga go ceann tamaill.

SÉAMAS

Ach b'shin luach ár bpasáiste, a Sheáin, cá
bhfaighimid anois é?

SEÁN

Dul i bhfiacha mar a rinne go leor eile. Seas-
faidh ár gcairde linn . . .

NA CONNERYS

Ar ndóigh, níor ghá go mbeadh aon bhaint
agatsa leis seo.

SEÁN

Agus ligean duit dul ar an gcroch id aonar?
Ní hea . . . Ní hea, a bhuachaill, tá rudaí is
treise ar an saol ná stuaim agus críonnacht.
(*Cloistear 'Na Connerys' á sheinm ar fheadóg.*)
Ach ná bíodh imní ort, tiocfaimid as.
Mothaím i mo chnámha go dtiocfaidh. Agus
amach anseo tiocfaidh lá geal gréine nuair a
bheas an bráca thart agus beimid ag féachaint
siar ar an lá seo agus ar chor na cinniúna a
thóg as an áit dhamanta seo sinn, le sinn a
sheoladh . . . cén áit?

SÉAMAS

Más beo dúinn?

SEÁN

Beimid beo. Ní bhfaigheadh Cuimín céad
punt ar a scéal in aon áit eile.
    *Múchtar na soilse. Ansin lastar iad ar
    Chuimín agus Éamon Paor sa tábhairne, ag
    féachaint ar fhógra an cheant*

NA CONNERYS

Ó a Éamoinnín Paor, nárbh álainn an chreach í!

PAOR

Creach cheart, a dhuine, don té a mbeadh sé aige! Ach rachaidh siad daor.

CUIMÍN

Rachadh, dá mbeadh fear a gceannaithe ann!

PAOR

Ó anois, a dhuine, ba chóir go mbeadh a fhios agatsa—san áit a mbíonn stoc, bíonn airgead. Ar chaoi amháin nó ar chaoi eile, tiocfaidh sé aníos as tóin an stoca anois.

CUIMÍN

Ní fheadar, mhuis! Is beag duine a bhfuil an cineál sin airgid aige na laethanta seo, mura bhfuil sé agat féin.

PAOR

Luach ocht scór caorach agamsa! Sin scéal! Ba thúisce a bheadh sé agatsa!

NA CONNERYS

B'fhéidir anois go bhfuil!

PAOR

Sin an b'fhéidir!

CUIMÍN

Á anois, a Éamoinnín Paor, sin rud nach
maith liom—toice breá teolaí mar tú féin ag
caitheamh anuas ar dhuine bocht neamh-
urchóideach mar mise! Céard a déarfá anois
dá ndéarfainn leat go mbeadh an t-airgead
agam?

PAOR

Déarfainn go raibh tú ag caint trí do thóin
mar is gnách leat!

CUIMÍN

Á, sin a déarfá anois? Amadán bocht sraoill-
each ag stealladh áiféise trína thóin mar is
gnách! Sea, sin an chaoi ag daoine stuama de
shórt Éamoin Paor de ghnáth. Níl aon chiall
ag aoinne ach acu féin! Bhuel, bíodh fhios
agatsa, a Éamoinnín Paor, go bhfuil ciall
agamsa, i bhfad níos mó céille ná mar atá

agatsa, agus más mian leat leas a bhaint as mo
chuid tóinchainte, cuir cluas le héisteacht ort
féin!

PAOR

Leas? Cén leas a fhéadfainnse a bhaint as do
chuidse áiféise?

CUIMÍN

An leas seo, a Éamoinnín—tusa a fuair d'áit
gan cíos ar mhaithe le do ghrá geal a bhronn-
adh ar an tiarna.

PAOR

Cuir uait an chaint sin, níl aon bhaint aige sin
leis an scéal. Ag déanamh gar do mo dhuine
muintire an báille a bhí mé an uair sin.

CUIMÍN

Sea, agus ag déanamh gar dó a bheifeá an
uair seo! Sea, tá an sprioc buailte anois agat!
Ar mhaith leat gar eile a dhéanamh do do
dhuine muintire, an báille uasal caoin?

PAOR

Gar? Cén gar?

NA CONNERYS

CUIMÍN

Gar chomh mór is a rinne tú d'aon fhear riamh.

PAOR

Tóg bog é, a Chuimínigh. Tá cuma an-aisteach ort.

CUIMÍN

Conas ná beadh? Dá bhfeicfeása an rud a chonaic mise, bheadh cuma ait ortsa freisin. Cén gar a dhéanfá dó? Neosfaidh mise duit. A bhás a agairt orthu siúd is ciontach!

PAOR

A bhás?

CUIMÍN

A bhás! (*Aithris ar an mbataráil aige.*) Dúnmharú! Do dhuine muintire! An báille!

PAOR

As ucht Dé, a Chuimínigh, cad tá á rá agat?

CUIMÍN

Rud is fíor, rud a chonaic mé!

NA CONNERYS

Cén fáth nach dtéann tú chuig na póilíní?
Téann fear an tábhairne thar bráid, exit arís

CUIMÍN

Ssshhh! Ísligh do ghlór a phleidhce! Airgead,
a Phaoraigh! Ar airigh tú riamh trácht air
sin? Airgead—domsa, duitse! Airgead mór,
airgead bog! Má imrítear i gceart é. Má théim
chuig na póilíní, tá deireadh leis!

PAOR

Conas a thagaimse isteach ann?

CUIMÍN

Beidh an ceant ar siúl ar an Aoine?

PAOR

Sin a deir an fógra.

CUIMÍN

Tá go maith. Má cheannaíonn an t-amadán
sraoilleach seo an stoc, ní foláir nó fuair mé
an t-airgead in áit éigin. Cén áit? Cé uaidh?
Anois, cuir do chloigeann stuama ag obair, a
Phaoraigh. Cé uaidh a gheobhadh amadán

NA CONNERYS

mar mise an méid sin airgid? Cé uaidh ach
uaidh siúd a mbeadh eagla air roimh rud
éigin a d'fhéadfainn a dhéanamh? Eolas éigin
a d'fhéadfainn a scaoileadh! Bí id amadán
mar mise, a Phaoraigh, is luachmhaire amach
is amach é ná an ceann críonna sin ortsa! Cé
air a mbeadh eagla romham ach air siúd a
rinne criathar de chloigeann . do dhuine
muintire ... Na Connerys!

PAOR

Na Connerys!

CUIMÍN

An bheirt acu! Chonaic mé iad. Sea, le mo
shúile cinn féin! (*Is léir go bhfuil sé seo dulta i
bhfeidhm ar an bPaorach.*) Seo anois an chuid
a bhaineann leatsa ... Má bhí duine, nó
daoine, a bhí sásta dul ag cnagadh ar bhlaosc
oirirc do dhuine muintire, bheadh suim ag
daoine eile iontu seachas na póilíní?

PAOR

Cuir i gcás?

CUIMÍN

An tiarna, a phleidhce, cé eile? Tar éis an

106   GNÍOMH III

tsaoil, ba é a bháille siúd é. A sheirbhíseach
dílis, an fear a bhailíodh a chuid airgid dó.
Bheadh díol míosa de chíos sa mhála sin aige
an uair a imríodh an tiocaití-toc-tiocaití-toc
úd ar a chloigeann! Cá bhfuil sé? Cá bhfuil an
t-airgead sin? Beidh suim ag an tiarna i
bhfreagairt na ceiste sin! Tá an séasúr i Lon-
dain ag teacht, séasúr an airgid, a dhuine
—abair leis an tiarna caoin go bhfuil sé le cíos
cúpla mí a chailleadh, agus céard a déarfaidh
sé?

PAOR

B'fhearr liom gur tusa seachas mise a bheadh
á insint dó.

CUIMÍN

Tá sé agat anois, a chara. Tusa a bheas á
insint.

PAOR

Mise?

CUIMÍN

Tusa. Duine creidmheach mar tú, duine
muintire leis an té atá marbh. Tá gach aon
chúis ar domhan gur tusa a déarfadh leis é.
Agus, ar ndóigh, creidfear thú.

NA CONNERYS

PAOR

Ach má tá an t-airgead caillte, tá sé caillte.
Cad is fiú é sin a rá.

CUIMÍN

Á! Nach tú tá grinn, a Phaoraigh? Tá tú ag
foghlaim, ag bailiú chugat! . . . Dá ndéarfá leis
anois go bhfaighfeá mála an chíosa ar ais dó,
céard a déarfá leis sin? Tá na céadta punt
ann. Go gcuirfeá an t-airgead sin ar ais ina
phóca?

PAOR

Agus mise? Céard a bheadh le fáil agamsa as
sin?

CUIMÍN, *buaileann an fógra*

A ngabháltas siúd domsa . . .

PAOR

Ach domsa?

CUIMÍN

Tá seisean marbh. Caithfear báille a chur ina
áit. Conas a d'oirfeadh an caipín sin duit?

NA CONNERYS

Tú tá grinn, a Chuimín.

CUIMÍN

Seafóideach atá mé. Amadánta. Ceann asail, meabhair chait—sin an chaoi leis na pinginí a chruinniú. An té nach bhfuil láidir, a Phaoraigh, ní foláir dó bheith glic . . . Beidh tú ag an gceant?

PAOR

Beidh.

CUIMÍN

Bíodh do chuid oibre déanta. Nuair a théann tusa in iomaíocht liom beidh a fhios agam go bhfuil tú tar éis labhairt leis an tiarna agus go bhfuil an scéal ina cheart. Ach féach seo, a Phaoraigh, ar eagla na heagla, ní hé go mbeifeá ag imirt claon orm—ach is liomsa an stoc sin! Ní mian liom go sciobfaí uaim é trí aon drochsheans. Fág an bealach agam má tá sé ag dul gar don leathchéad, abair. Agus cogar, a Éamoinnín, ní aon chaint san aer é sin. Ní bheinnse glic mura mbeadh cleas nó dhó fós sa mhála!

*Múchtar na soilse; lastar ar an tábhairne
iad, an slua ag bailiú isteach don cheant, na
Connerys ina measc. Fear an tábhairne ag
an gcabhantar, hata ard agus cóta eireabaill
air, éide cheantálaí. É ag cnagadh lena
chasúr ar an mbord*

FEAR A' TÍ

Sea, sea, sea, anois a dhaoine córa, bígí in
bhur dtost. Stoc, troscán, gléasra feirme! Tá
an fógra feicthe agaibh, tá a fhios agaibh
céard atá ann. Seo chuige, más ea. An
dtógfaimid le chéile iad nó ina gceann is ina
gceann?

GUTH 1

Ó, cuir le chéile iad!

GUTH 2

As ucht Dé éist leis! Nach cuma linne, ní
bheimid ann!

GUTH 3

An t-iomlán ar ghine!

GUTH 4

Fear maith! Ardfhear!

110   GNÍOMH III

NA CONNERYS

Tuilleadh glaonna den sórt seo ón slua

FEAR A' TÍ

Seo, cé chuirfidh tús leis?

GUTH 1

Tógfaidh Cuimín an t-iomlán!

GUTH 2

Saor in aisce!

CUIMÍN

Scór! (*Gáir fonóide ón slua*)

GUTH

Feoirlingí!

CUIMÍN

Punt! (*Gáir eile*)

FEAR A' TÍ

Anois, a fheara, ní mór dom a iarraidh oraibh
a bheith ciúin, sin nó glanfar an teach...
Anois, cé chuirfidh tús leis? Ní bhfuair mé
blas ar aon tairiscint fós!

NA CONNERYS

Thairg mise scór punt.

FEAR A' TÍ, *á cur i leataobh le gáire*

Tairiscint atá uaim, ní tóinchaint!

PAOR

Fiche gine.

SÉAMAS

Cladhaire glic, cá bhfuair sé é!

FEAR A' TÍ

Maith an fear, Éamon Paor, chuir tú tús leis
ar chaoi ar bith. Scór gine agam ón bPaorach
anseo, an gcloisim tríocha?

CUIMÍN

Punt!

GUTH

A Íosa Críost, tá an bastard an-dána!

SÉAMAS

D'fhéadfá sin a rá, a chara!

112   GNÍOMH III

NA CONNERYS

Sea, sea, a Éamoin, fear ciallmhar tusa, níl aon chaill ortsa. Seo, bhfuil aoinne le dul san iomaíocht leis? Ocht scór caorach, an stoc is fearr i gCúige Mumhan! Tríocha gine ó Éamon Paor, bhfuil dhá scór agam?

CUIMÍN

Dhá scór!

GUTH 1

Tá an bastard sin dáiríre!

FEAR A' TÍ

A Chuimín, ní mór dom a rá leatsa gur féidir an dlí a chuı ort má théann tú san iomaíocht gan an t-airgead agat.

CUIMÍN, *á tharraingt chuige*

An airgead é seo?
Glórtha alltachta ón slua

GUTH 2

Cladhaire de bhastard glic!

GUTH 3

Bhí sé i dtóin an tochta an t-am ar fad aige!

FEAR A' TÍ, *alltacht airsean chomh maith, tógann na nótaí ina láimh, féachann go grinn orthu*

Tá dhá scór punt agam ón ... bhfear uasal seo. Bhfuil dul thairis?

PAOR

Giní!

FEAR A' TÍ

Ardfhear, a Phaoraigh, bhí a fhios agam go mbeadh an ceann críonna ortsa!

CUIMÍN

Dhá scór agus cúig.

FEAR A' TÍ

Punt?

PAOR

Gine!

CUIMÍN, *eagla air, tá an Paorach ag dul lastuas de*

Chonaic tú mo dhíolsa, a fhir a' tí. Bhfuil tú sásta go bhfuil an t-airgead aige seo?

NA CONNERYS

PAOR, *á tharraingt chuige*

Leathchéad!

> *Isteach Nan ar chúl*

NAN

Gine!

FEAR A' TÍ

Nan Thomáis! (*Téann sí go lár an tslua, ag cur na súl trí Éamon i dtosach, ansin Cuimín. Tost docht, fad atá sí ag stánadh orthu agus ag teacht chun tosaigh.*) Tá caoga gine agam ó Nan Thomáis, bhfuil dul thairis?

PAOR

Caoga a cúig!

NAN

Trí scór!

CUIMÍN

Gine!

NAN

Trí scór is deich.

NA CONNERYS

CUIMÍN

A cuid airgid, a cheantálaí? Níl aon airgead aici seo!

NÁN, *á thaispeáint*

Nach bhfuil, a Chuimín? Nach bhfuil airgead agam? Chuir do chara anseo (*Paor*) i mbun ceird luachmhar mé i dteach an tiarna! Ar fhiafraigh sibh de cá bhfuair sé a chuid airgid féin?

CUIMÍN, *súil ar na Connerys*

Níor ghoid mé as mála an bháille é, mar a rinne tusa!

NAN

Áhá, a chomharsana, cén scéal é seo againn! Bean bhocht gan arm gan acmhainn ag breith na gcéadta punt léi as mála an bháille—nach deas an scéal é sin! (*Gáir fonóide ón slua.*) Éist leo, a Chuimín! Bí ag cumadh scéil eile, ní chreideann siad an ceann sin.

CUIMÍN

B'fhéidir go gcreidfeadh siad é dá mbeadh fhios acu go raibh sé marbh!

NA CONNERYS

NAN

Óhó, táimid ag dul i bhfeabhas a chomhar-
sana! Ag goid airgid ón mbáille a bhí mé
nóiméad ó shin, anois tá sé marbh agam! Ach
cogar, a dhaoine, tá an Báille Caedach ina
chónaí anseo in bhur measc, an raibh fhios ag
aoinne eile anseo gur marbh a bhí sé? Tusa, a
cheantálaí, an raibh a fhios agatsa? An raibh a
fhios ag aoinne eile? (*Téann sí timpeall ó
dhuine go duine, tost ó chách.*) Ní raibh a fhios
seo ag aoinne dá chuid comharsana, ach bhí a
fhios ag Cuimín. Ní fheadar conas tá a fhios
agatsa? Abair leat, a Chuimín, conas ab eol
duitse é? (*Tá sé i sáinn aici.*) Conas eile, a
dhaoine córa—ach gurbh é féin a mharaigh
é!

GUTH 1

Bastard! Féach an fhuil ar a lámha! (*Agus tá!
Scanraíonn Cuimín féin*)

GUTH 2

Dúnmharaitheoir!

GUTH 3

Ní thiocfaidh sé as!

NA CONNERYS

Anois a cheantálaí, tá ceant ar siúl agat, críochnaigh é sin i dtosach dúinn. Ansin, is féidir le duine deas creidmheach éigin— duine ded shórtsa, a Éamoin Paor, dul chuig na peelers leis an scéal a thabhairt dóibh.

Isteach Caedach, cuma an bháis air. An slua ag cúbadh uaidh

CAEDACH

Tá an báille beo, a bhean! Téigí abhaile as seo, a ghramaisc, tá an ceant seo thart! *Tá siad ar tí teitheadh, téann Nan rompu*

NAN

Seasaigí, a dhaoine muintire, cén fáth a bhfuil eagla oraibh, níl anseo ach sop!... Dúirt mé leatsa go ndíolfá fós as an gcleas cam a d'imir tú ormsa agus díolfaidh... Tá ceant ar siúl, a fhir a' tí, tá seachtó punt ráite!

CAEDACH

Seachtó punt de mo chuidse a striapach! *Ach tá an réiteach ag Nan, caoi saortha na gConnerys*

118   GNÍOMH III

NA CONNERYS

Do chuidse? Sea, tá an ceart aige, féach, a
mhála, tá sé agam, rómhaith a aithníonn sibh
é! Conas a fuair mé é? Abair, tusa ar leat é,
tusa a chuir striapach orm, a chuir i mbun
gnó na striapaí an chéad lá riamh mé ar leaba
do thiarna—abair leis na comharsana conas a
fuair mé do mhála airgid? . . . Abair leo!
Conas eile, a dhaoine córa, ach gur éirigh sé
rómhór dó féin! Ní shásódh aon bhean an
bambairne báille seo againn ach bean luí an
tiarna! Sea, a dhaoine córa, sin é ár mbáille
daoibh, fear cosanta an dlí ag ár dtiarna uasal
Holmes! Is beag dlí a dhéanfadh cosaint
ormsa nuair a tháinig sé am bhréagadh istigh
ar shráideanna Phort Láirge! Ach buíochas le
Dia, bhí mo chaoi cosanta féin agam nuair a
chaith mé i ndiaidh a chinn ó bharr go bun an
staighre é—agus chuir an oiread sin scéine
agus eagla ina chroí gur theith sé ón láthair
agus gur fhág é seo ina dhiaidh!

CAEDACH

Tá tú grinn i mbun scéalta, a bhean, ach ní
sheasfaidh sé. Tá an bheirt seo ar an gcroch
anois! Bhí finnéithe eile ann (*Súil ar
Chuimín*).

NA CONNERYS

Eisean! Slímire sleamhain a dhíolfadh a mháthair ar mhaithe le deoch saor in aisce a fháil! Coinnigh ort mar sin, a bháille, agus feicfimid cé acu den dá scéal a chreidfear. Bí cinnte nach bhfuil cúirt sa tír a chreidfidh é siúd!

> *Múchtar na soilse . . . Lastar iad ar bhreith-eamh sa chúirt; na Connerys, faoi dhor-naisc, gar dó. Spota ar Scéalaí, é ag gearradh isteach ar an mbreitheamh*

SCÉALAÍ

Ach, mo léan, bhí.

BREITHEAMH

A phríosúnaigh, tá an giúiré cloiste agaibh. Bhfuil aon rud le rá agaibh sula dtugaim breith na cúirte?

> *Na Connerys ina dtost*

SCÉALAÍ

Amhail is go mb'fhiú rud ar bith a rá! Giúiré lán suas d'fhir ghnó Phort Láirge, lucht sodar i ndiaidh na n-uasal!

NA CONNERYS

BREITHEAMH

An bhreith más ea!

SCÉALAÍ

Ar aghaidh leis! Bí cinnte nach ag bronnadh ridireacht ón rí a bheas tú!

BREITHEAMH

Tugadh fianaise éithigh ar bhur son os comhair na cúirte seo. Ní mór don chúirt an fhianaise sin a bhreithniú, fianaise a tugadh i gcúirt a Mhórgacht an Rí, faoi bhrí Bhíobla Dé.

SCÉALAÍ

Ar a laghad chuir sé san ord ceart iad!

BREITHEAMH

An té a thugann a mhóid san éitheach tugann sé masla don rí.

SCÉALAÍ

Ní fada a mhair Dia sa choimhlint.

BREITHEAMH

Ní mór an masla sin a agairt air. Cúiseofar an bhean a thug an fhianaise bhréige sin chomh

luath is a bheidh an triail seo thart . . . Níl le
déanamh anois agam ach breith na cúirte a
thabhairt.·

SCÉALAÍ

Agus tabharfaidh tú é sin le fonn, a
sheirbhísigh an rí!

BREITHEAMH

Ainneoin na fianaise sin, ainneoin ar chual-
amar de bhréaga, de chlúmhilleadh, de
leathfhírinní mailíseacha ag iarraidh scáth
cosanta a sholáthar don bheirt meirleach
atá os comhair na cúirte, faigheann an chúirt
gur fíor an scéal atá á insint ag an
mbáille . . . go ndearnadh feallionsaí marfach
air agus é ag dul i mbun obair dhleathach an
tiarna . . .

SCÉALAÍ

Ag feannadh an chraicinn de dhaoine
bochta . . .

BREITHEAMH

É á dhéanamh go síochánta . . .

NA CONNERYS

Scata 'redcoats' leis dá gclisfeadh ar an síocháin!

BREITHEAMH

Agus mura mbeadh trócaire Dé, bhí sé marbh acu!

SCÉALAÍ

Chuaigh trócaire Dé amú an uair sin!

BREITHEAMH

Tugaimse breith na cúirte dá réir... Ciontach!

SCÉALAÍ

Sin é briathar Dé!

BREITHEAMH

Anseo i mo láimh agam, tá an caipín dubh. B'ionann é chur ar mo cheann agus sibh a sheoladh céimeanna na croiche suas (*á chur uaidh*). Ach tá de phribhléid agam óna Mhórgacht an Rí an phianbreith sin a mhaolú. Is fir óga sibh. Le toil Dé...

NA CONNERYS

SCÉALAÍ

Agus a Mhórgacht an Rí . . .

BREITHEAMH

Tá saol fada romhaibh le leorghníomh a dhéanamh sa choir ina bhfuil sibh ciontach. (*Cloistear ceol 'I'm bound for Botany Bay.'*) Dá réir sin, tugtar na príosúnaigh ón láthair seo, seoltar gach luas gach aicearra faoi gharda iad thar na farraigí ó dheas, chun tréimhse a saoil a chaitheamh, ar dhaorobair, i gcampaí géibhinn na New South Wales.

SCÉALAÍ, *téann sé isteach idir na Connerys, siúlann thart orthu*

Ná bígí caite síos, a bhuachaillí. Tá sibh beo, maireann sibh, maireann an dóchas fad atá sibh beo. Rachaidh sibh go dtí an áit seo ach tiocfaidh sibh as. Tá an saol fairsing, tá Dia fial, ní inniu ná inné a thugamar ceird na slándála linn. Tá an brat seo anuas oraibh anois ach tiocfaidh an lá nuair a ardóidh an ceo. Cothaígí an dóchas. Ná téadh spléachadh an dóchais as. Ní bás go dtí an bás sin. (*Leis an lucht éisteachta*) Féach, tá scata amuigh anseo, fiafraigh díobh. Cén chaoi a

mbeadh a fhios acu siúd, an ea? Fiafraígí
díobh, ar aghaidh libh! B'fhéidir nach i
bpríosún atá siad, b'fhéidir nach bhfuil breith
an bháis orthu, ná daorobair i gcampaí
géibhinn New South Wales. Ach cén duine
orthu nár mhair trí bhráca éigin lena linn
mar sin féin? Cothaígí an dóchas, a bhuach-
aillí. Luath nó mall, tiocfaidh an lá!

*Múchtar na soilse. Lastar ar phríosún iad,
radharcra a bhfuil barraí ar a thaobh, na
Connerys ag féachaint amach tríothu. An
scannán nó na sleamhnáin arís—féach tús
Gníomh I*

SEÁN

Tá an ghrian ag dul faoi.

SÉAMAS

Beidh fuílleach ama againn as seo ar aghaidh
le bheith ag féachaint ar dhul faoi na gréine.

SEÁN

Ní fheicfimid mar seo arís í . . . Féach (*an bád
sa scáileán*)! Ceithre chrann seoil—lasta
cruithneacht ó dheisceart an domhain.

NA CONNERYS

SÉAMAS

An Astráil? ('*Na Connerys*' *ar an bhfeadóg.*)
Tiocfaidh mé ar ais! Tá mo chroí anseo, ní
féidir liom bheith beo gan mo chroí.

SEÁN

Sea, sea, tiocfaimid ar ais, ach tá an dream seo
cliste. Ní hé ár mbás atá uathu, ach ár saothar
sa tír bharbartha ar a bhfuil ár dtriall, saor in
aisce. Ní go réidh a scaoilfear sinn.

SÉAMAS, *ag réabadh na mbarraí*

Brisfidh mé amach. Réabfaidh mé bealach
amach tríothu.

GUTHANNA AR gCÚL, *gardaí an phríosúin*

Shut up! Quiet! Go to sleep, ye rebel bastard!

SÉAMAS

Ní fhanfaidh mé i mo thost. Tugaim bhur
ndúshlán. Maraígí mé, ach ní fhanfaidh mé
ciúin! Tiocfaidh mé ar ais! Tiocfaidh mé ar
ais! (*Cloistear an fheadóg, nó véarsa 4 den
amhrán.*) A Shiún! Tiocfaidh mé ar ais
chugat. Ná himigh leis, bí dílis dom, tiocfaidh
mé ar ais!

NA CONNERYS

Tá sé briste, titeann siar. Múchtar na soilse
Lastar arís iad ar chistin. Siún ag stánadh
ar an mbád seoil, an smaoineamh céanna
ina ceann. Glór na feadóige, uaigneas agus
briseadh croí. Ansin imíonn an pictiúr
agus, tar éis aga, isteach Caedach uirthi

CAEDACH

Téanam ort, a ghirseach. Téanam ort chun
na bainise!

SIÚN

Fan amach uaim!

CAEDACH

Tar, a deirim.

SIÚN

Ní rachaidh mé leat!

CAEDACH

Téanam ort, tá an seanré thart. D'imigh na
Connerys le casadh na taoide.

Druideann sé léi; ach tá gunna na gConn-
erys aici. Pléascadh. Titeann sí. Múchtar na
soilse. An príosún arís. Séamas ina luí ar an
talamh

NA CONNERYS

SEÁN

Sea, a bhuachaill, tiocfaimid ar ais, codail
anois go maidin . . . Tar, a mhaidin, agus beir
leat sinn. Cá bhfios cén saol atá i ndán dúinn?
Cá bhfios cén t-anró atá fágtha anseo 'nár
ndiaidh? B'fhéidir go gcumfadh amadán
bocht éigin amhrán fúinn? Amhrán a chan-
faidh spailpíní bochta dár nós féin san am atá
le teacht! Cén chuma a bheadh air? (*A lámh ar
cheann Shéamais atá ina chodladh, ag tabhairt na
bhfocal le chéile go mall—le ceol b'fhéidir?*)

A bhanríon bheannaithe is a rí na bhflaith-
   eas geal, tabhair fuascailt orainn araon,
Is ar an mbanartla atá sa mbaile go
   dubhach 'nár ndéidh.
Le linn an Aifrinn bígí ag agallamh is ag
   guí chun Dé,
Ar na Connerys a thabhairt abhaile
   chugainn ós na New South Wales.

SCÉALAÍ, *á léamh as an mbéaloideas*

'Bhí fear ó pharóiste Chill Ghobnait amuigh
san áit úd i bhfad de bhlianta ina dhiaidh sin
agus chuir sé tuairisc na gConairíoch. Fuair sé
amach an áit a rabhadar ina gcónaí. Bhí réim

GNÍOMH III

mhór talún acu agus iad ana-shaibhir ar fad.
Bhí Seán pósta is clann aige. Níor phós
Séamas riamh.'

Brat

CRÍOCH